蠟筆小新 爆笑巨星

臼井儀人

Volume 26

喔?

野原一家是繪畫模特兒？
我們都能為藝術而犧牲篇
最後一天
廣志暑假的最後一天。
整個暑假，我幾乎都陪著家人。
今天我要好好地自己一個人過。
剛才美冴已經帶小葵去買東西了。
小新也正在看電視。
我總算可以隨心所欲了，先好好睡個午覺再說。
閒閒沒事
啊——幸福又美滿。
噠噠噠噠噠
野原先生——！
哇啊——！
驚醒

你可不可以不要隨便進到別人家——！
現在不是說這種話的時候！
美冴呢？
去買東西了。
怎麼啦？
啊——為什麼只剩下這兩個沒用的傢伙——
我真想海扁你。
好吧，也只好找你啦！野原先生！我最愛的妻子蜜琪，世界上最美麗最可愛的蜜琪她…
有的沒的形容詞可以省略啦，挑重點說。
不耐煩
蜜琪她…人不太對勁啦！
你是說她的臉變得像菜頭嗎？
那可不得了啦。
不是啦！
總之跟我來就是啦，快！
我最珍貴的最後一天假期毀啦——
請進！
不過，我不准你們看蜜琪哦！
不看的話，誰知道她哪裡不對勁？
可是她穿著睡衣耶！我不想讓那些無聊的男人看啦！太可惜了！
我可不是因爲想看她才來的！
你這麼說太過份了！穿著睡衣的蜜琪是全世界最性感最有魅力的女人！讓你看就是了！過來！
這傢伙到底懂不懂人話…

啊，野原先生還有小新小弟…你們好…
病懨懨
蜜琪…妳變得好瘦。
我去倒茶…
沒關係，妳躺著就好了。
對呀，蜜琪。
這種人根本不需要倒茶給他們。
你給我閉嘴！
以為他是在稱讚自己
你覺得如何？
嗯──大概是氣候型感冒吧…
不是說這個，我是說她是不是很性感？
都什麼時候了，還說這種話！
因為蜜琪一到夏天就會熱得吃不下東西，所以每天都只吃壽麵。
這樣難怪會感冒，趕快帶到醫院去。
早洩醫院
今天住院一天，打點滴就能恢復健康了。
什麼是點滴？猥褻嗎？
那就麻煩你了。
席林，對不起…對不起…早知道我就吃點像醃海草這種有營養的東西。
蜜琪！對不起，對不起！只有我還是這麼活蹦亂跳，早知道我也只吃壽麵，不吃什麼醃海草就好了，我情願代替妳臥病在床呀！
請讓我也一起打點滴！要和蜜琪一樣的點滴！
我好高興哦！席林！
滾開！不要礙事！
大人還真是辛苦。
我們先回去了。

那可真是不得了。
結果我最後的暑假就這麼結束了。
算了，至少還可以輕鬆地小酌一番…
打開
我回來了……
落寞
哇——！
驚嚇
蜜琪呢？
醫院把我趕出來了，說什麼會吵到其他病患…
那你不要到我家來！我也覺得你吵到我了！
啊！不要隨便倒我的酒！
倒倒
竟然強硬拆散我們這相愛的一對！太過份了！
過份的是你！怎麼可以隨便喝我的酒！
冷靜，冷靜。
喝喝
哈
喝
對了！大家一起來折千羽鶴，祈禱蜜琪早日康復！
開什麼玩笑！誰會無聊到去做這種事！你就不會稍微為別人想一想嗎？
你這混蛋東西！
破口大罵
知道啦！知道啦！我們做就是了！
隔天，蜜琪康復出院了，當天晚上…
我回來了。
啊，先去洗個澡，今天總該可以好好地喝一杯了吧…
野原先生——！席林他……世界最時髦的我的席林……因為過度勞累昏倒了！快來幫幫忙呀！
誰來幫幫我呀…
大人還真是不好當。

野原一家是繪畫模特兒？
我們都能為藝術而犧牲篇
一見鍾情
叭叭叭
嘰—
白色無尾熊快遞
我們會以哈雷的速度將東西送到府上！
叮咚——
來了。
快遞——！
謝謝，麻煩你了。
咚咚咚
麻煩在這裡蓋章。
發現
愛的戰車出動
正中紅心
どん
※愛的神箭發射
掉……
滾滾滾滾

啊，好可愛的小女孩，妳好。
那我先走了。
麻煩你了。
小葵，牛奶喝完了嗎？
轉身
小葵…？
呆
我肥來羅賓溫廉斯是個大帥哥。
哦，你回來啦。
我回來羅絲·葵，和我一起跳舞吧……
幹…幹嘛…
急速衝上
抓住
嗯——♡
噁心死了，快放開我，放開我。
我親—
嗚哇……
!!
嘔嘔嘔嘔——！
哈……

我回來了！
咦？妳說小葵有點不對勁……？
是呀！整個臉紅卜卜的，還一直發呆，牛奶也幾乎不喝！
有發燒嗎？
我量過了，可是沒有啊！看來應該不是感冒。
呆
那小新呢？
說是被小葵奪走了初吻，正為「我失身了」而在沮喪中。
笨蛋小鬼……
算了，看看情況再說吧！
是呀！
沉醉夢鄉
鼾—
日有所思夜有所夢
小葵！愛我的話就來抓我呀！
呀！
哈哈哈！
哈哈！
嘩啦
嘩啦
嘩啦
嗯嗯嗯嗯！
嗯嗯嗯！
不斷繞圈圈
老公……你看……
啪嘰啪嘰
小新的尿
嗯

抓緊
哎呀！還是被妳抓到了！
抱起
來！哈哈哈！
呀呀～～！♡
幸福的轉圈圈
くる くる
目眩的轉圈圈
嘿嘿！
的確是不對勁……
撞牆
隔天
小葵的真心之愛結束了！
震驚
她的情況和昨天反過來，今天是不斷的大量喝牛奶。
借奶消愁
呼
多喝的牛奶
稀哩～～～咕嚕咕嚕咕嚕嚕…
嗯……
小兒科
誰叫妳要喝這麼多牛奶！
無力
怎麼了啊？
愛的衝擊！
發射
正中目標
又開始了！！

野原一家人是繪畫模特兒…！？
我們都能爲藝術而犧牲篇

減肥季節

食慾之秋
我大口大口吃
閒來沒事做之秋
吃飽睡一睡
味覺之秋
狼吞虎嚥大啖大啖
CC
檸檬
薯條
小蛋糕
睡意之秋
鼾
你根本就是吃飽就睡，睡飽就吃嘛！
是呀！這位太太！
嗝！
就是因爲你最近每天都過著這樣閒適的生活，你看！你變得好肥啊！
肥嘟嘟
你想，娜娜子要是見到你這樣子會怎麼想呢？
驚訝

以前的你到哪裏去了？
娜娜子…
我討厭變得肥嘟嘟的小新！
轉身離去
啊！等等…
摔倒
驚惶失措～～
把我原本倒三角的健美體格還給我！
你的體格什麼時候有倒三角呀？
我該怎麼辦～～？
先到外面跑一跑，運動一下再說！
哦～
哦
滾落
啊！不小心就掉了一地！小弟弟！多謝你！
我執
我執
來！這算是多謝你的幫忙！
哇！
水餃味米果
多謝妳！
毫無顧忌的吃
吃到天昏地暗
水餃味米果
嗯——好吃！好吃！
嗝
水餃味米果
啊——
震驚
想起了原本的目的

加油
加油
呼
呼
慢慢
吞吞
對了！找正男一起踢足球！
正男——
正男——
你跑到我家隔籬做什麼？
你來得還眞合時哩！
?
今天有客人來家裏，送了我們好多的雪糕和蛋糕，因爲這些東西都不能放太久，所以一定要在今天吃完才行。
小新也來幫忙吃吧！
啊——眞好吃！
嗝！
多謝你的招待！
嗝
慢走啊！
我返來囉！
怎樣？有認眞在運動嗎？
感覺上好像比你出去前還肥了一大圈呀！
我是很努力想運動啦，可是……

來！這是你的晚餐！今天吃的是咖哩飯！
一點點
咦？只有這樣而已嗎？
為了要減肥，所以要少吃一點！
我要吃囉！
我吞
我吃飽了！
我回來了！
咦？妳說小新在減肥？
是呀！我告訴他再繼續減肥下去的話，就可以當相撲手了…
我要吃囉——
注視
口水直流
這樣子誰吃得下去呀…
幾天後小新終於減肥成功。
啊！娜娜子姐姐！讓她看看我瘦了的樣子！
喂！阿忍！啊啊？！妳買到的相撲比賽的票了嗎？當然去囉？我最喜歡相撲手了！
震驚
狼吞虎嚥
大吃大喝
大啖大啖
新之山！我好喜歡你哦！
薯片
泡麵

野原一家人是繪畫模特兒…！？
我們都能爲藝術而犧牲篇

怪叔叔

接住哦——
來呀~~~~
你不會用手套呀！給我用手套！
搖搖
擺擺
電視上不都説『老化是從屁股開始』……所以我的屁股手套偶而也要拿出用用才行呀……
從來也沒聽過！
接住！
咻
喝！
空中轉圈
擺好架勢
喝
啊
飛過
混蛋——都是因爲你喜歡扮有型的關係！

在哪裏？在哪裏？
這是什麼？
沙沙
手槍還有白色粉……難道那是毒品……！
天呀！我們被捲入傷腦筋的事件中了！
你說傷腦筋的事件難道是……
那手槍和白粉是我們的！
我們找好久了！多謝你們！
我來吻你們一百次當作謝禮吧！
哇——
哎呀！傷腦筋！
暗暗偷笑
你想得太美呀！哪有這麼好的事！
我聞到犯罪的氣息了！
什麼氣息？你放屁嗎？
應該要趕快去報警才行……
無視
沙沙…
驚訝
還是哪裏有狗屎？
啊……啊啊……

快逃呀！
噠
哦？
啊！等等！
唉！算了！我已經記住他們的長相了，他們應該還會來的。
遠去
怎麼辦！被發現了！因爲我們知道了他的秘密，他一定會來殺我們的！
呼呼呼呼
小新！這件事絕對不能告訴任何人！要不然會連累到別人的！
哦！哦！
?
蒙哥公寓
四處張望
緊張萬分
啪噠
呼—
媽媽，我回來……
震驚
媽媽！
媽媽！妳振作一點！媽媽！
嗯？哎呀！我一邊吃朱古力一邊睡著啦！
起身

妳不要嚇我好不好！
哦！你回來啦！阿徹！
要吃朱古力嗎？
我返來囉！
哦！你回來啦！快去洗澡吧！
絕對不能讓媽媽也被捲入事件之中！只要我一個人犧牲就行了！
魚兒魚兒水中游！
隔天
再見了！媽媽！
怎麼了？突然叫我出來！
我們到昨天的那個地方去，叫警察把那傢伙抓起來！
就是他！手槍和毒品呢……？
導演！攝影用的道具被丟在這裏了啦！
都是那隻賤狗！叼到這種地方來！
連續劇『陽光下的刑警』工作人員
小朋友！這是你們的球吧？
昨天撿到的，可是你們一見到我就跑掉了……
大叔，多謝你！
大受刺激
好了！我可以放心去種田啦！
眞是好人！
我……我不玩啦……

野原一家人是繪畫模特兒…！？

我們都能爲藝術而犧牲篇

女人戰爭

動感幼稚園
哇—
哇—
小新！傳過去了！
我踢
彈—
你在做什麼呀！快去把球撿回來！
唰唰
唰唰
你回來啦！老公！
啊？
我沒有玩過煮飯仔，不知道要怎麼玩……
你不要裝傻，也不要不好意思啦！來吧！呵呵呵呵！
妮妮的陷阱真是愈來愈恐怖啦！
又有新手法啦！
丟下小新雖然有點不好意思，不過還是不要牽扯上比較好！
否則搞不好連我們也會被她找去玩實感煮飯仔！
靜靜雞

我們正在玩足球，只是到我這裏來撿球而已。
是嗎？可是即使沒有你和那顆球，大家也還是玩得很高興呀！
哇—
哇—
咦……？
男人的友情
碎裂
四分
五裂
沮喪
好啦！我們開始玩煮飯仔吧！
老公！麻煩你去買廁紙回來！
到哪買？
那邊就有一間店呀！
阿呆商店
阿呆……！對了！大家在玩球的時候就找不到他了……
快點回來哦！不能亂望靚女哦！
老公！你回來啦！
好巧哦！我正好買玩東西的遊戲，剛剛從銀座回來，我們一起回家吧！
咦……我是和小愛在玩煮飯仔嗎……？
啊——！
給我站住！小新現在正在和我玩煮飯仔嗎！不要隨便把他帶進妳的煮飯仔世界裏去！這樣他太可憐了！
妮妮實在也太……

黑磯！
啪啪
冒出
靜靜
走來
打開
這個給妳！請妳把小新讓出來吧！
內含金粉的波板糖
哇──
太好了！啦啦啦！
不……不要想用東西來賄賂我！
接住
小新是先和我一起玩煮飯仔的！
因爲是「先」和妳玩，所以已經是過去式啦！我的小新王子所重視的是未來！
所以啦！請問小新王子，你等一下想要做什麼呢？
我想要去踢足球！
不行！你要和我一起玩煮飯仔！
小新王子！我絕對不是那種只知道約束丈夫的女人，如果你想去踢足球的話，你就去玩吧！
哦哦！
等你踢完之後，再回到我身邊來，我們再繼續玩煮飯仔！我先把天然桃冰水冰著等你回來喝！
天然桃冰
我比較喜歡小愛的煮飯仔！
那我去踢足球了！
路上小心哦！老公！
那我先走一步了！
火冒三丈
嗯～～

激死我了！我一定要給妳好看！
枕頭
踢玩足球後回來的小新
咕嚕
還要喝一杯嗎？
在玩煮飯仔嗎？小孩子的遊戲真有意思！
咦？有什麼事嗎？
我的肚子裏面已經有他的孩子了！
昏倒
拉
啊！
呵呵！小孩子就是小孩子！笨！
氣憤～～
妳自己還不是小孩子！
痛…
我拉
放開我！妳這個死窮家女！
煩死啦！無聊有錢女！
喂！不要吵啦！
噗——妳的臉真有趣！
妳也是呀！哈哈哈！
諾！妳看——
哈哈哈！好！那接下來換我啦！
女人心海底針呀！
你說的沒錯！小新！
大家都辛苦啦！
咳……
輕聲細語
阿呆商店

野原一家人是繪畫模特兒…！？
我們都能爲藝術而犧牲篇

包飯團

媽媽——！
安靜無聲
大聲公老婆婆——！
眞的沒人在家。
依然寧靜
現在是我的自由時間囉！
好——！
平時被禁止的事，可以毫無顧忌的做！
跳舞的大屁股外星人！啊！噗哩噗哩～～♪
全力衝刺中！
衝呀——
跌個正著
滑倒
痛——
一不小心跌倒後，開始變得憂鬱。

好——！
這次要說「平時在媽媽面前說就會被罵的話」！
一閃一閃亮晶晶！滿地都是大狗屎！
大象！大象！長毛象的鼻子怎麼那麼長！
我是屁股毛大王！哈哈哈哈！
靜——
感到空虛的5歲兒童
對了！我餓得都快發瘋了！
咕嚕嚕嚕
沒有零食……
哼
小葵喝剩下的牛奶
吞口水
不行！這是BB女喝的東西，而且還是妹妹喝剩的！誰要喝呀！
5歲兒童的自尊
要不然，我來做御飯糰好了！
嘿
のせ
好燙……

啊
掉落
太可惜了！就當作是爸爸的晚餐好了！
爸爸的碗
快速撿起
再來一次！
拿起
御飯糰的基本配料是烏梅～♪
紀州烏梅
做御飯糰要用鹽～百家姓的大姓也有嚴～♪
鹽
我撒 我撒
我捏 我捏
接下來就是包海苔～～
我捏 我捏
館川海苔
飲品！飲品！
肚子好餓～～
我回來啦！
啊！這是小新要做給我吃的嗎？
好吃——
津津有味
震驚
果汁
減樂福
多謝你呀！眞好吃呢！
陷入假死狀態
倒地不起
減樂福

野原一家人是繪畫模特兒…！？
我們都能爲藝術而犧牲篇

畫展

今天的晚餐到外面買回家吃好了！
哦！這裏有一間畫廊嗚！
挪威畫廊
啊！我知道這是什麼！
就是江戶時代因爲欠債而把女兒賣掉的地方！
那是「酒廊」！
你從哪裏學到這種解釋的？
啊！我很喜歡這個畫家的畫呢！眞想去看看！不知要不要錢？
繪垣增美
個人展
我來看「潰爛增美」畫展！
歡迎光臨！請進！
要多少錢？
我們這裏是不收門票。
免費？
嗯！是的！
媽媽！免費嗚！媽媽最喜歡的兩個字就是「免費」！

討厭！小孩子不要亂講話！呵呵呵呵！
繪垣增美 年輕的天才女畫家，她那高尚的畫風及品味得到了許多女性畫迷的支持，特別是她最近的親子畫作系列，頗受好評。
眞是一幅既高尚又優雅的畫作。
和我的風格還眞像啊！
一點也不像！
小葵滿嘴都是口水！
用這個幫她擦一下吧！
大家對我的畫作有什麼評語？
老師，備受好評哪！
啊
看起來是這樣
輕度近視
就是這個！
多市小姐！
是－
冒出
這位太太妳好，我是繪垣增美老師的經理人，我叫多市祐惠樺。
啊……
站在那邊的那位小姐，就是繪垣增美老師本人。
哇！
事情是這樣的、增美老師最近所畫的親子系列作品備受好評，不過到目前爲止，老師卻還沒畫出一張能讓她自己感到滿意的作品，所以她希望能請你們當她的模特兒，藉由你們來讓她畫出最理想的親子圖，希望妳能多多幫忙。
嗯……
滔滔不絕

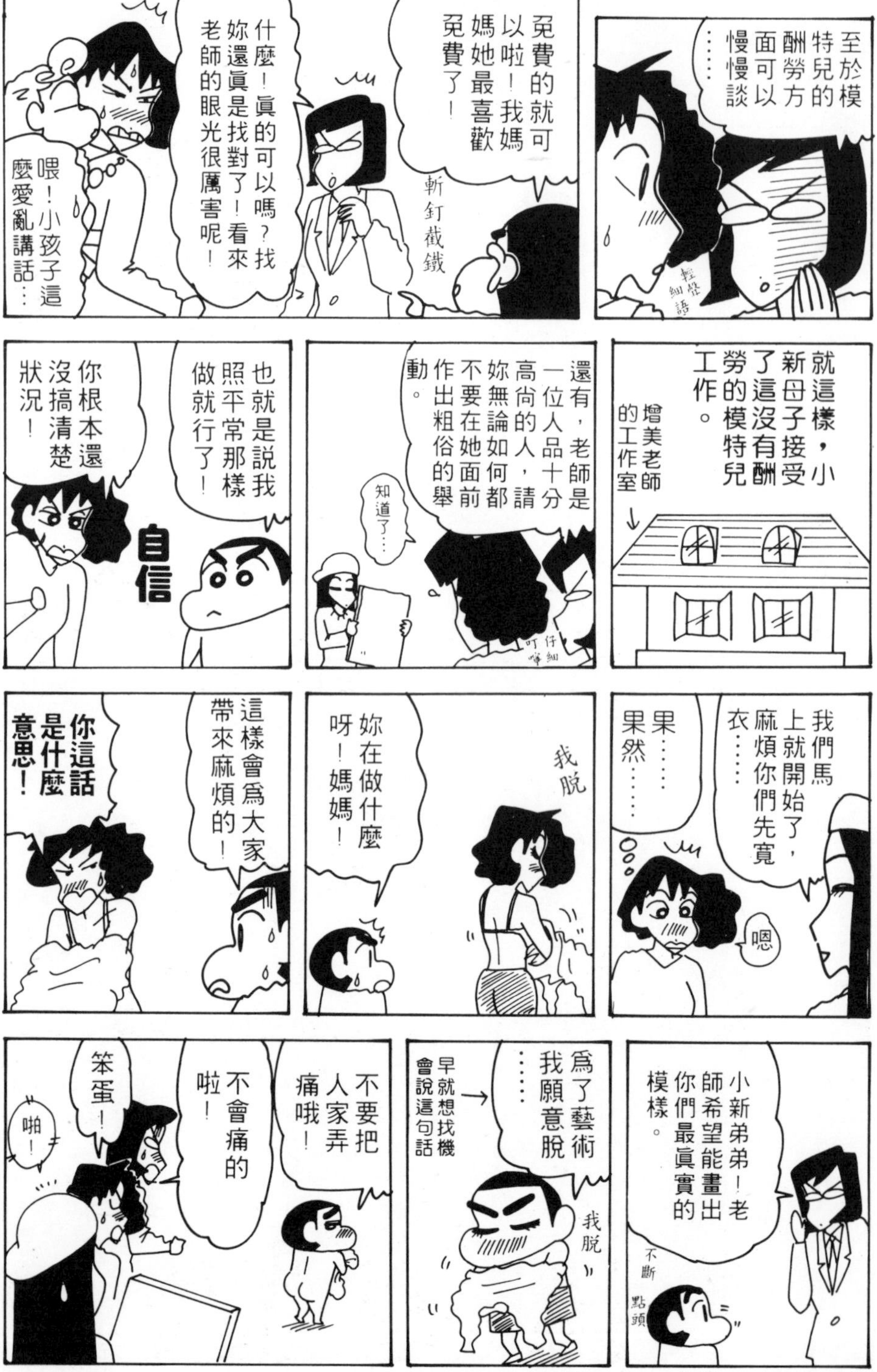
至於模特兒的酬勞方面可以慢慢談……
輕聲細語
免費的就可以啦！我媽媽她最喜歡免費了！
斬釘截鐵
什麼！眞的可以嗎？找妳還眞是找對了！看來老師的眼光很厲害呢！
喂！小孩子這麼愛亂講話…
就這樣，小新母子接受了這沒有酬勞的模特兒工作。
增美老師的工作室
還有，老師是一位人品十分高尚的人，請妳無論如何都不要在她面前作出粗俗的舉動。
知道了……
仔細叮嚀
也就是說我照平常那樣做就行了！
自信
你根本還沒搞清楚狀況！
我們馬上就開始了，麻煩你們先寬衣……
嗯
果……果然……
我脫
妳在做什麼呀！媽媽！
這樣會爲大家帶來麻煩的！
你這話是什麼意思！
小新弟弟！老師希望能畫出你們最眞實的模樣。
不斷點頭
爲了藝術我願意脫……
早就想找機會說這句話
我脫
不要把人家弄痛哦！
不會痛的啦！
笨蛋！
啪！

老師，你希望他們擺什麼姿勢呢？
自然一點，平常的樣子就行了！
請你們放鬆心情，擺出平時最輕鬆的姿勢。
癱軟
我看還是請你們遵照我的指示擺姿勢好了……
麻煩你們保持這個姿勢不要動。
我畫
我畫
哦哦哦哦～
別鬧！小葵！
噠—
野原太太！
啪啪啪！
不好意思，這孩子好像覺得很無聊的樣子。
嗯噠—
我不要你只畫我的背面！
順便畫畫我的豆皮壽司吧！
豆……豆皮壽司……！
霹啪
霹啪霹啪
啪喀
老師高尚的理性終於碎裂了
你說那是豆皮壽司是吧！就是這個！哈哈！我就是喜歡這種又粗俗又沒品味的題材！哈哈哈哈！
再拉開一點！
老師又露出本性來了……所以我才要你們不要作出什麼粗俗的舉動……
從此以後，繪垣增美老師的畫風有了一百八十度的大轉變！
新親子像
繪垣增美
這不是我……
這才是她的真面目！

野原一家人是繪畫模特兒…!?
我們都能爲藝術而犧牲篇

小強

星期日
沉醉夢鄉
呀——!!
驚醒
老公!小強呀!有兩隻小強!快去把牠趕走呀~~~~!
什麼嘛,只不過是小強,大驚小怪的。
我每天工作這麼累……好痛好痛!我肩膊好痛!我沒辦法幫妳去趕小強啦!
都四十歲了…
真是的—
來了—
叮咚
不好意思,嗯,一大早的就來打擾……
故作媚態
原來是隔籬的孟璐太太呀!有什麼事嗎?
其實呀,嗯,我剛剛在我家廚房看到了一隻小強,又可是我最怕小強的,嗯,而我先生還在國外出差,嗯,家裏沒有個男人可以幫忙,嗯……
搔首弄姿
所以啦,嗯,我想麻煩野原先生到我家幫我把小強趕走,嗯。
搖曳生姿
哦!原來如此。可是我老公他的肩膊剛好……

我的肩膊今天也是一樣好得不得了呢！孟璐太太！哈哈哈哈哈哈哈！
簡直就像二十歲的肩膊！
活動自如
我也是一樣！哈哈哈哈哈哈！
旋轉自若
看我來好好收拾那欺負孟璐太太的小強吧！
好好爲牠收屍！
哦，那就麻煩你了，嗯。
你這個混蛋老公！我看你最好是被小強咬壞你的肩膊！
嗯，來，請進。
嗯，那就打擾了！
迷惑
注視——
H——！阿茂！
這小子又來了。
你眞的有辦法趕走小強嗎？你不怕嗎？
「小強」有何好怕的！
是嗎——！
我爸爸才不會那麼沒用呢！
小新……
冒出
我爸爸怕的只有媽媽和公司的上司！對付那「小強」一點問題也沒有！
還有蒼蠅他也不怕……
不要說了！太難爲情啦！
嗯，我剛才是在這桌子底下看到的。
搖搖擺擺
天呀！又性感又豐滿！
啊！你果然是在看這裏！
喂——！沒這回事……
好——我也一起來找「小強」！
轉移話題

咦？到底跑哪去了？嗯？
呀——！
奮力前衝
好可怕哦！
貼緊
讓我來保護妳吧！
呀！
突然出現
來了！
好可怕哦～～～！
貼緊
核突死啦——！
我去拿殺蟲水過來，嗯。
麻煩妳了。
好～～等牠靠近一點，一棒解決牠。
靜靜雞
嗶啵嗶啵——
喀
驚嚇
逃竄
不要給我搗亂——
不要把自己的過錯推給別人。
有這樣的爸爸眞讓我難爲情。
對了，大叔要不要看媽媽的『露點寫眞』？
咦？
怎麼會在這時候說這種令人心動的事……！

阿茂！這種照片不能隨便拿出來給別人看！
妳媽媽會覺得難爲情哦！
說的也是，媽媽的確會難爲情。
好吧，我們到那邊去玩吧。
哦～～～
左顧
右盼
死小強，不要跑！
撲上
啪
啪
的確是……
面上「露點」，但因爲做甜品失敗而感到害羞，又不敢讓人知道的模樣
衝出
可惡……
喝呀呀呀—
啪
啪
啪
左閃右避
奮力一揮
啪嗒
飛起
啊！我的肩膊……
眞是太多謝你了，嗯。
有事的話請隨時來找我。
結果還不是走掉了，哼。
有事隨時來，沒事就不要來。
痛！
又多了一隻小強，變成3隻了！你肩膊不是很好嗎？快趕走牠們呀！
跑到家裏來了……
我去洗澡了。
沮喪
痛
哼！
拿去！
殺死牠

野原一家人是繪畫模特兒…！？
我們都能爲藝術而犧牲篇

牛奶戰爭

我返來囉！我返來囉！
您的肩膊還眞硬哪！老闆！
啊——就是那裏。
秋天眞是個空虛的季節
秋風吹起
媽媽和小葵都在睡午覺。好——我可以好好的悠閒一下了。
疾奔而過
噗
肚子餓了
咕嚕嚕嚕
我努力鑽
哎呀，不行啦，畢彼特，人家會癢啦～～
看來似乎是夢見了畢彼特
繼續鑽
轉身
!!

壓得喘不過氣來
噗哇——呼呼呼呼呼呼
對不起啦，畢彼特~~
我拉
噠
朱古力蛋球
奮力向前衝
哦，朱古力蛋球！
一袋瀉下
用後即棄
津津有味
嘩咿！嘩咿！
H－！小葵！妳很有精神嘛。
生氣後反而更餓
咕嚕嚕嚕
旺旺狗餅
旺旺狗餅
噠
偶而也該餵餵小白。
旺旺狗餅
拿起
煞制不及
撞上

來吃吧。
全部到下
!!
轉頭
嚇破膽~~~
咕嚕嚕嚕
!!
嗯~~~
嬰兒奶粉
嗯~~~
嬰兒奶粉
打開
倒出
嬰兒奶粉
噗哇!
咳咳!
咳咳!

嚕嚕嚕嚕
…
嗯！
滿滿一瓶
我倒
我搯
用力
用力
用力
噠
嘩啦嘩啦
啪
咿
出水
噠
用力
用力
用力
關閉
我舔
呼呼
用力
用力
用力
噠
噠
噠
嘩啦
嘩啦
嘩啦
小葵！妳究竟在做什麼呀！
幾乎都吃光了
嗝！
吃飽喝足
眞是的，眞不曉得她父母是怎麼教的。
啊——
『這就對了！』的意思

野原一家人是繪畫模特兒…！？
我們都能爲藝術而犧牲篇

會錯意

唉～～今天也是從早忙到晚………
不管再怎麼努力，因爲經濟不景氣，前途依然迷茫呀…
春日部車站
累死我啦……眞希望能好好洗個澡、再小飲一杯，然後一覺睡到天光。唉，好累…
我回來了。
你回來啦，老公。
滿面春風
洗澡水放好了，
啤酒也冰好了。
哦……
怎麼突然變得這麼溫柔……難道……
今晚的菜單
●烤鰻魚
●山芋泥
●無味大蒜
嗯……都是補充體力的菜……果然沒錯！
今晚美冴想好好來一下！
吉田照美的文化放送
傷腦筋哪，累得半死，哪來這種力氣呀。可是拒絕的話後果更是不堪設想……上個月竟然還拿出熱的啤酒來給我喝……
唸唸有詞
脫

總之要想辦法不要變成那種情況才行。
『那種情況』是什麼情況？
唔……
一驚
這和小孩子無關！
你這種的説法就好像是説『那種情況』，是不能讓小孩子知道的事哦。
不要給我胡亂推測！
對了，你有什麼事嗎？
沒事。
那你就早一點去睡覺。
媽媽也是一副臭臉向我説著同樣的話……
啊！
小……小新，你絕對不能太早睡！
咦？你剛才不是要我早一點去睡嗎……
我應該聽誰的才對呢？
當然是聽一家之主的話呀！這個家的一家之主是誰呀？
是爸爸。
很好！你還眞懂事呀！小新。
不過實際上眞正的老大好像是媽媽，所以我還是聽媽媽的話比較好。
嘩啦—

老公！快點出來吧，菜都快涼了。
哦…馬上來。
不快想個辦法不行……
對了！
小葵呢？
她已經睡著了。
我想去看看她喎。
要去把她吵醒！
去看也無所謂啦……
不過可別把她給吵醒的，我好不容易才哄睡的……
啊…是！
驚慌失措
對了！電視聲音開大聲一點，把小葵吵醒。
遙控器
抓住
轉身
野原家家規第六條是什麼？
殺氣騰騰
「吃飯時禁止看電視」！
很好！
好了，快去吃飯吧。
那我就去吃囉。
對了！喝它個夠，喝到爛醉就行了！
咕嚕
咕嚕
再喝一些威士忌。
咕咚
咕咚

我喝
嗯—
這是麥仔茶呀……
我已經把威士忌換了別的瓶子放在雪櫃裏面，我擔心你會喝得太多……
怎麼會這樣——家庭主婦爲什麼不管什麼東西都要拿到雪櫃裏去呢？
禁忌的時間終於到了
老公！快來呀～～～
沒辦法，只好硬撐了。
來了—
好了，要開始囉！
我推 我推
咦？妳這是做什麼？
當然是幫你按摩囉。
我推
你每天爲這個家努力賺錢，我正在想偶而也該幫你按摩一下。
感動
原來如此，晚餐的菜單和讓小孩早點睡都是爲了要讓我消除疲勞……
美冴！
抱緊
啊！怎麼了？
多謝妳！♡
老公！
你說的『那種狀況』就是這種狀況嗎？
噠
昏倒

動感世界名著！
努邦4世與阿銀篇

動感世界名著！努邦4世與阿銀篇 其一

動感博物館
今晚10點
我會來取走「熱海之月」！
怪盜修邦
嗯——如果這封預告信是真的，再過5分鐘他就會出現了
我聽說修邦是非常守時的。
古畑警部
這個『熱海之月』是世界級的文化遺產之一，是鑽石、紅寶石和其他玉石以完美比例混合的珍貴寶石。
如果這顆寶石被偷走的話，我這動感博物館就完了！
館長
另外，這是『灌腸』用塞子。
嗯—您放心吧！館內五百人，館外三百人，這麼多人在戒備，他想偷也偷不走的。
聲勢浩大
而且這個水晶金庫是沒有人能打得開的最堅固金庫。
咚喀喀喀喀
咻
停電了！
咦—燒掉了保險絲嗎？
警部！我們馬上去換保險絲……

啊！亮了！
亮
警部！在剛才停電的時候，金庫裏面的東西該不會已經被掉包了吧……？
哼！停電的時間也只不過是2、3秒而已，不可能的！
可是對方是怪盜修邦……
嗯——
嗯！館長！就打開金庫確認一下真假吧！
嗯！好！
喀嚓
是真貨！絕對錯不了！
那就好啦！
拿走
撕開
那我就放心地收下啦！

嗯——你就是怪盜修邦？
剛好10點！我很準時吧！
咚
嗯——快去給我追！咳！咳！
咳！咳！
嗯——快去追那架直昇機！
啪啦 啪啦 啪啦 啪啦
哇哈哈哈哈哈哈！
砰 砰
啪啦 啪啦 啪啦
追著模型娃娃根本沒用嘛！而且那架直昇機再過10分鐘就要爆炸了。剛才的停電也是我弄的。
嗚~~~ 嗚嗚嗚嗚
我眞是個天才大盜呀！
哇——哈哈哈哈哈
古畑先生！怎麼辦！快幫我想想辦法呀！
嗯——修邦的確是個天才！
要對付天才就要找鬼才！
嗶啪啪
我要通知那個男的！

✸怪盜修邦VS奪還專家努邦4世！

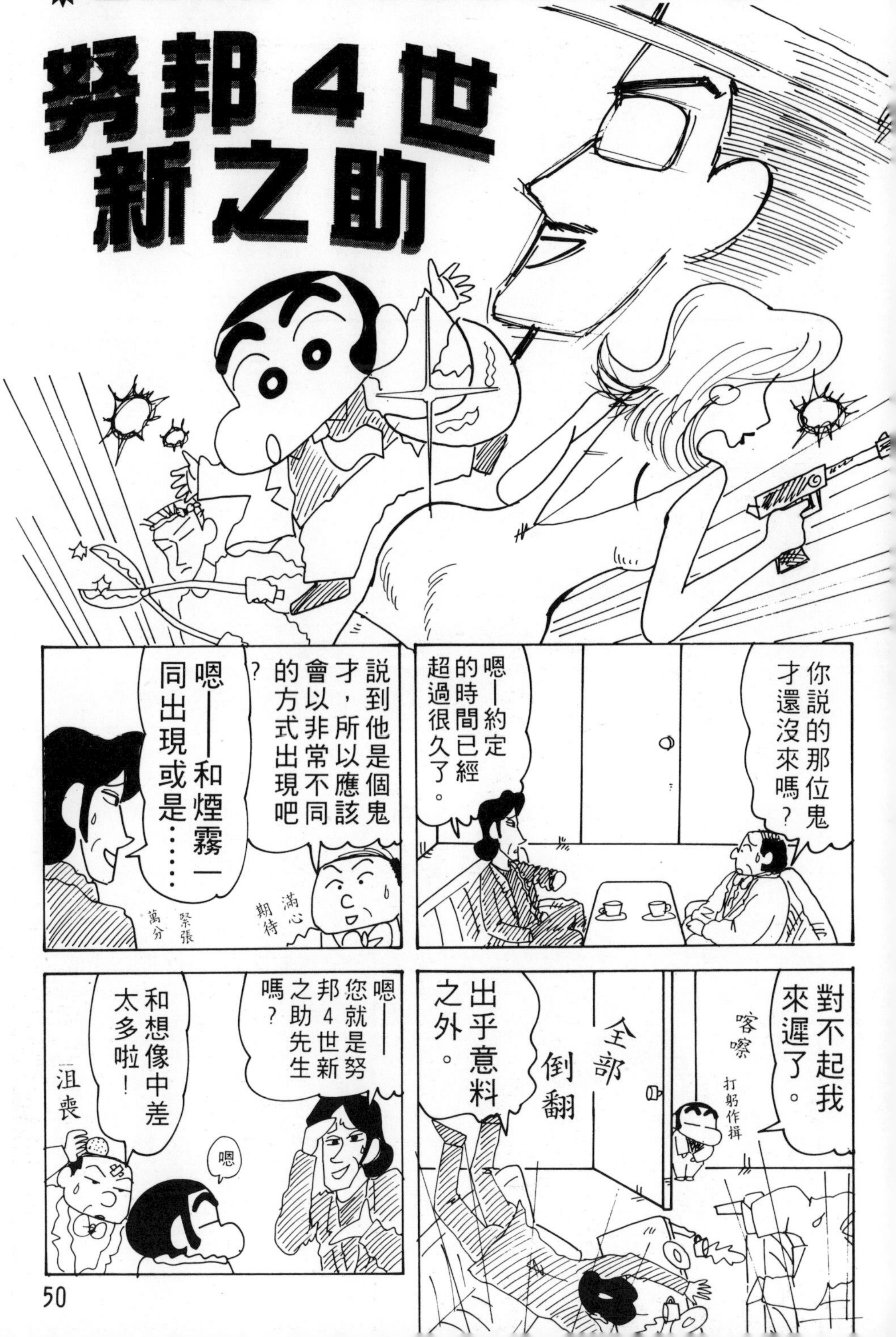

他的名字叫努邦4世・新之助。
他的曾祖父在法國留學的時候，坐在他隔鄰的是一個名叫亞森・魯邦的男子。
魯邦經常偷拿同學們的擦膠和鉛筆。
他的曾祖父樂於幫同學把丟掉的東西找回來，知道了這件事後，就把魯邦偷的東西物歸原主，
從此以後，他的家系就成了為別人取回被偷走的東西，而開始了所謂「奪還專家」這樣的職業。
奪還專家
這就是努邦家族的由來。
嗯！你希望我幫你拿回什麼東西？
是一顆名叫『熱海之月』的寶石！求求你幫我把他拿回來！
嗯──我已經知道那傢伙的藏匿地點，我為了預防萬一，所以在『熱海之月』的盒子裏裝了一個超小型發信機。
這裏
嗯──警察所有的行動都被他識破了，我擔心在進攻他的秘密基地之前就被他逃走，所以麻煩你去偷偷幫我們拿回來！
哦──
小新很快地聚集拍檔並開始行動。
那就是怪盜修邦的秘密基地嗎？非常核突的！

小新的拍檔 不二峰子
好久沒有好好幹一場啦！
峰子妳好漂亮哦！
這位是不久之前加入的新人「鋼剪次郎」！
喀嚓 喀嚓 喀嚓 喀嚓
我幹了3年的園丁，之後又有當超能力糊塗美容師2年的經驗。我手上的這把用超級鈦合金所製成的園藝剪刀什麼都剪得斷！我叫鋼剪次郎！多多指教！
多多指教！
好！大家提起精神一起上來——！
你這個蠢老大！會被敵人聽到的呀！
啪叩
呼——終於爬上來了！
啪叩
啪叩
啪叩
啪叩
啪叩
我拉～～
……
你這變態小鬼！
住手呀！會被敵人發現的！
看我宰了你！
我拉～

咚隆
咻嚕嚕嚕嚕
啪噠
喀嚓
喀嚓
喀嚓
咚
…
啊！這裏剛好是金庫！
金庫室
熱海之月就在這裏
哇！我眞是個幸運女郎呀！
你是男孩吧！
不過，好奇怪……
是呀！其實我也是這麼想！
峰子！妳今天化的粧好奇怪哦！
兩頰抹得太紅了！
我說的不是這個啦！
你這個欠打的小鬼！

我們這麼快就到這裏，未免太順利了……
是呀！這件事我早在一百年前就知道了！
我們已經走入修邦所設的陷阱裏面了！
咦？明知山有虎偏向虎山行，這麼說……
這之後的作戰策略你也已經都想好了吧？老大！
真不愧是老大！
嗯！我沒想過！
天呀！
喀嚓
喀嚓
哈哈哈哈哈！努邦4世·新之助！我正等著你來這裏！
不過，你的程度只有這樣，實在令我太失望了！
哇哈哈哈哈！你如果知道實情的話，你會更失望的！
這話是什麼意思？
如果我是個機械人的話，你該怎麼辦？如果真正的我已經從別的地方侵入的話……
什麼？

啊……電池好像……快用完了……
喀喀
嘰嘰
掉落
怎會這樣！
噗咻咻咻
留兩個人在這裏看著！其他的人去把眞正的新之助找出來！
急急忙忙
快！快去！
眞出乎我意料之外！
沒想到老大這麼會演戲！
啊！穿梆了？
掉落
咦？
就算你騙得過修邦，還是騙不過我的！
反擊
咕！穿梆了！還是我得重新練習才行。
喀喀
嘰嘰
好！趁現在趕快把『熱海之月』帶走！
你們先走吧！我要去上大便！
眞是的——可別被你修邦給捉到了哦！
再回來救你太麻煩了！

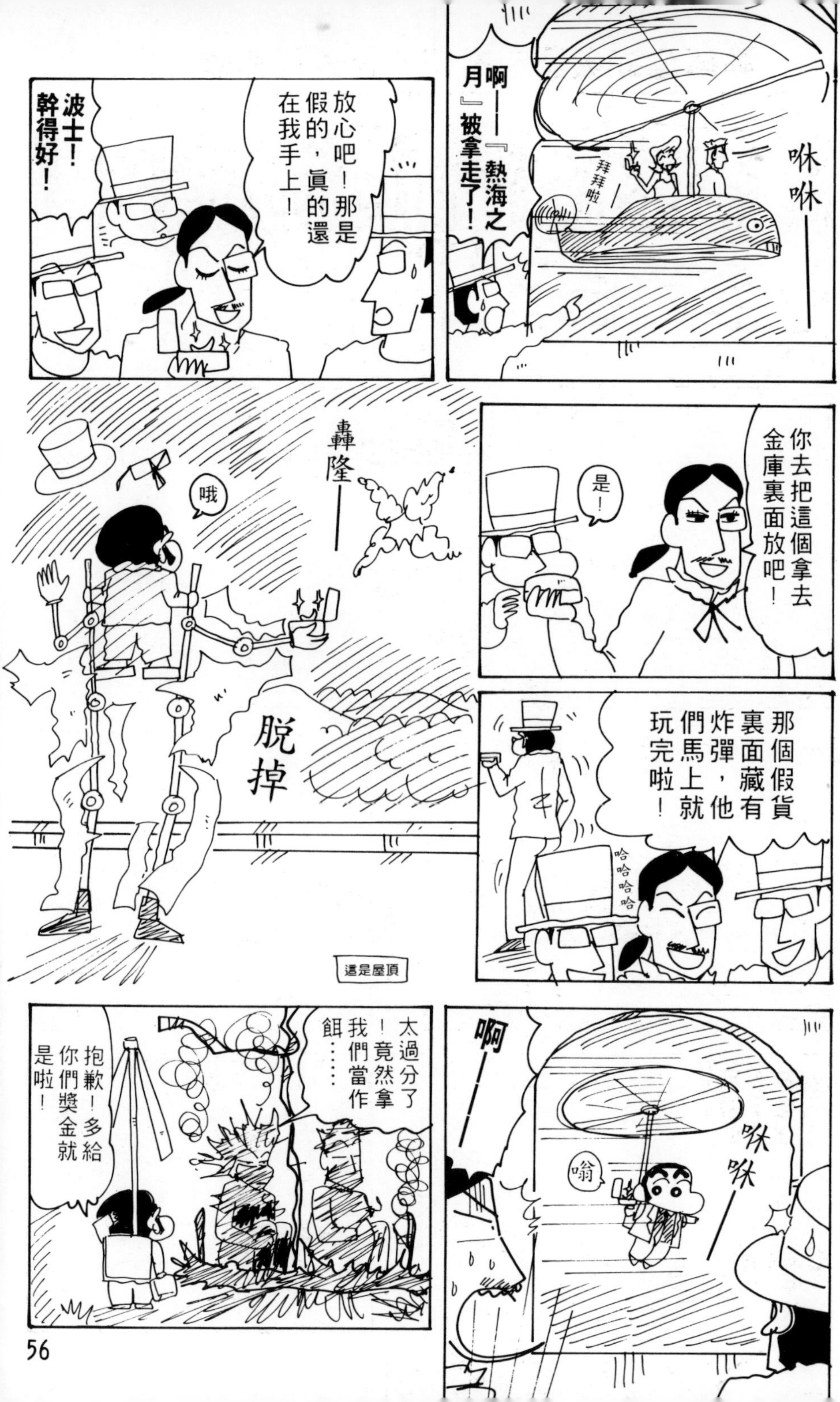

咻咻——
拜拜啦！
啊——『熱海之月』被拿走了！
放心吧！那是假的，眞的還在我手上！
波士！幹得好！
你去把這個拿去金庫裏面放吧！
是！
轟隆——
哦
脱掉
這是屋頂
那個假貨裏面藏有炸彈，他們馬上就玩完啦！
哈哈哈哈
咻咻——
嗡
啊——
太過分了！竟然拿我們當作餌……
抱歉！多給你們獎金就是啦！

動感世界名著！ 努邦４世與阿銀篇 其二

不理不理佐衛門的大冒險
金手指阿銀

很久很久以前，有一個名叫新之助的浪人。
他有一對能叫出『救世英雄不理不理佐衛門』的不可思議的沙鎚。
有一天
啊——好想痾尿，到那個崖邊去痾好了！
我拉 我拉
嘩啦啦啦
噠呀—
滿臉都是
喀
可惡的小子！竟敢找麻煩！
痾完抖一抖

突然又覺得想上大便！
哇—住手呀！
呼呼嚕嚕
嗚哇～～
我沒帶廁紙出來，趕快叫不理不理佐衛門出來拿給我！
叩叩
咚
你叫的正是時候！有廁紙嗎？
不嫌棄的話，請您拿去用吧！
哎呀！哎呀！眞是一位又親切又漂亮的小姑娘！
小生有榮幸請妳去吃一碗拉麵嗎？
先把你們的屁股擦乾淨了再來！
多謝你們在家父危急的時候救了他！
這是在下應該做的事！
你根本沒做過什麼！
能夠這樣簡簡單單就趕走那個殺手，相信你的功夫一定非常好！
沒什麼啦！我只有5歲小朋友的程度！
而且脂肪稍微多了點。
請你們幫幫我！請你們保護家父的安全好嗎？
要保護妳嗎？
這種怪老頭有什麼好保護的？
住口！小心我把你殺了當豬扒！
其實我們這裏的大人非常喜歡壽司，所以每年都會舉辦一次『花壽司會』，推選2位本地的壽司師傅來比手藝。
今年，身爲壽司師傅的家父就被選上出場比賽。
嘿嘿嘿嘿！人稱『金手指阿銀』就是我啦！

能夠取悅大人的優勝者，就能獲得『大人家中的專屬壽司師傅』這個榮銜。
這麼一來生活就能安定，體弱多病的妳也能過好日子了。
我想剛才的殺手應該就是這次比賽的對手『外道壽司』找來的！他一定還會來殺家父的！
求求你！請在比賽開始前保護家父！
報酬呢？
宇多田光新春演唱會的入場券！
我也想要！我來當保鑣好了！
這傢伙是傻瓜嗎？
我根本不需要這種傢伙保護！
喂！不要鑽我的鼻孔呀！
我鑽我鑽我鑽
家父的個性非常頑固，還請您多幫忙！新之助大俠！
豬蹄飛踢！
臭老頭鐵拳！
哦……
就這樣，2人成了銀之介壽司店的保鑣，而且暫住在店裏。
銀之介壽司
阿峰！我出去一下！
喂！臭老頭！要命的話就給我留在家裏不要出去！
壽司店不去市場買魚怎麼開店呀！
啊！

啪咻
危險！
我推
叩
好痛！
你如果沒推我的話，就不會被打中了啦！
呿！這老頭的腦袋還真硬呀！
此後，銀之介還是不斷受到狙擊。
茅房
快來救我呀～！
是臭老頭的聲音！
爹爹！
快把這個……
裝有炸彈，如有輕舉妄動，炸彈隨時會爆炸。
簡直就像『MI2』嘛！
看我的吧！我有2級炸彈處理合格證書！
有這種證書嗎？
2級
滴答 滴答 滴答 滴答
嗯……原來如此！
13:06
是『TOTO』！
沒人問你馬桶的牌子啦！
炸彈怎麼樣了？
只要臭老頭一站起來，就會牽動雷射反應而爆炸。
只要切斷這條……
滴答 滴答 滴答
喀嚓
細心
12:42

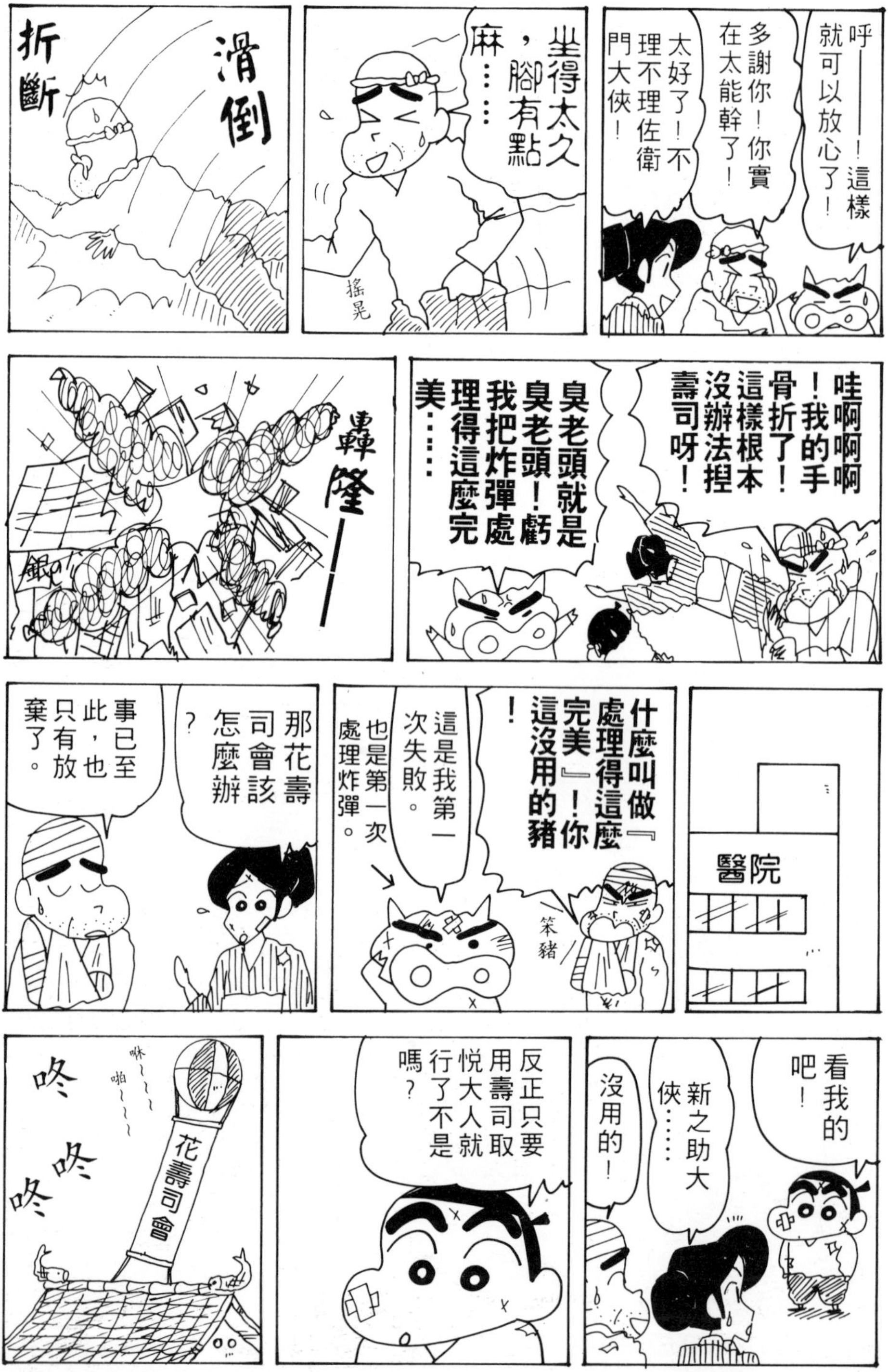

呼——！這樣就可以放心了！
多謝你！你實在太能幹了！
太好了！不理不理佐衛門大俠！
坐得太久，腳有點麻……
搖晃
滑倒
折斷
哇啊啊啊！我的手骨折了！這樣根本沒辦法捏壽司呀！
臭老頭就是臭老頭！虧我把炸彈處理得這麼完美……
轟隆——
醫院
什麼叫做『處理得這麼完美』！你這沒用的豬！
這是我第一次失敗。
也是第一次處理炸彈。
笨豬
那花壽司會怎麼辦？
事已至此，也只有放棄了。
看我的吧！
新之助大俠……
沒用的！
反正只要用壽司取悦大人就行了不是嗎？
花壽司會
咻~~~
啪~~~
咚
咚
咚

大口吃
好吃！外道壽司的味道頗不錯的！
多謝您的誇獎！
接下來是銀之介壽司的作品！
唉
看他的傷，我這次是贏定啦！
都出去！
?
喵—
喵—
喵—
哦！有意思…
喵—
繞圈圈
喵
繞圈圈
轉！轉！繼續轉！太有意思啦！我還是第一次看到這種壽司！
勝負分曉！銀之介壽司贏了！
沒有人知道這就是首次出現在世界上的迴轉壽司。
太好了——！
怎麼這樣……
離別之日
新之助大俠！實在是太多謝您幫忙！
我們一起在這裏做壽司好嗎？
我就像一陣風，喜歡自由無拘無束！
多謝！再見！
酬金一億萬圓，可以刷卡！
拜
住口！我介紹你到豬扒店工作好了！

石坂先生和吉永老師的
溫馨婚禮篇

噠啦

石坂先生和吉永老師的
溫馨婚禮篇
挑選會場
今天來想個實感煮飯仔的新劇本吧！
這次就來描寫結婚前男女的故事好了！把從相遇到結婚的過程完全眞實地表現出來！
啊！吉永老師！
哦！妮妮！早啊！
今天是星期日，等一下妳要和誰一起玩呀？
其實我還沒有約人啦！
那老師呢？
嗯……我去買東西。
暗雲閣
結婚喜宴
我先走啦！
老師再見！
他手上拿的一定是結婚喜宴手册！這麼說，他和石坂先生已經在選請客場地了！
這可以當作我劇本的參考！我要隨後追過去看看！

可是只有我一個人去的話太危險了！
因爲我實在太可愛了，被壞人盯上怎麼辦？
看看有沒有人可以一起去！
右望
左望
癱軟
癱軟
癱軟
啊
你在……做什麼呀？
我正在爲日本經濟前途擔心哪！
我看你還是先擔心自己的前途吧！
先不用擔心那麼多啦！跟我一起來！
可是我現在很忙喎！
之後我還要擔心日本的政治，然後還要擔心SPEED解散後的去向……
你再怎麼擔心，日本政治也是不會好，SPEED還很年輕，不會有問題的！
我現在要跟在吉永老師後面，看她如何選擇婚禮請客場地！
請吃米粉？
婚禮請客啦！
噠噠噠
春日部車站
啊！找到啦！
哦
喂——吉永老……
？……
四處張望
給我靜靜地跟著就好！
嗯嗯
偷偷摸摸
怎麼了？感覺好奇怪……

先不管那麼多了！今天一定要把婚禮場地決定好！
從訂婚以後就一直拖拖拉拉的……
決定好後，今晚就可以好好地吃個晚餐！然後喝了一點小酒的石坂就會這麼跟我說……
今天晚上我不想回家了！
不行！石坂！我們還沒有結婚呀！
小綠！
啊
擁抱
呵呵——實在是太好了！
她也有這樣的一面呀……
老師也是人呀！
喀噠喀噠
大宮～～～大宮～～～
吵吵嚷嚷
石坂！
小綠！
大便小鬼
妳肚子餓嗎？
嗯，一點點……
四處張望
？……
便小鬼
我們先進去再說吧！
嗯！
莫雷漢堡店
啊！跑到店裏面去了～～
討厭～～

妳看這暗雲閣婚禮場地的『新郎新娘在空中以盪鞦韆的方式出場』如何？
我不要這樣……
那約帕雷斯餐廳的『以火焰發射器點蠟燭』如何？
也不好！
那妳到底要哪一個？都是因爲妳拖拖拉拉的，所以一直無法決定……
我只是希望能作更慎重的決定！你實在是太草率了！
他們都在玻璃窗那邊，聽不見他們在說什麼。
不，從他們嘴巴的動作就可以知道了！
小綠！結婚後，每天起床都要吻我一下！
這是當然的！親愛的～～
一看就知道說的根本不是這樣！
我是因爲要讓妳高興，所以才作了很多的考慮！
可是我要的並不是這樣表演呀…
兩個人都要停口！
妮妮……小新……
噗
你們馬上就會變得非常幸福，爲什麼要吵架呢？你們要和好才對呀！
對呀！我們都看到！
小孩子也看到……？
對了！我們就在幼稚園的小孩子面前舉行婚禮！
咦？
我會讓小孩子們看看妳最美的新娘裝扮！
石坂……
在幼稚園……？太好了！
而且也可以降低費用！
對了！你們怎麼會在這裏？
對不起～～～

石坂先生和吉永老師的溫馨婚禮篇

小組會議

吉永老師和石坂先生的婚禮決定在幼稚園舉行，小孩子們也決定要送禮物給她們。
就是這樣，因爲我們這個小組要在今天想出送給他們的禮物。
那我們的組名是什麼？
這倒是還沒起名。
那我覺得『桃子屁股娘』這個名字不錯！
你又不是女孩子！而且根本不需要什麼組名呀！
我希望能演一場戲，描寫美女和美少年從相遇到結合的羅曼史！
哼！演戲已經過時啦！還是跳舞比較好！
住口！妳這傻瓜窮家女！
怎麼樣！無聊有錢女！
算啦！算啦！
阿呆覺得如何？
鼻水表演！
正男呢？
我……嗯——這個……
那『西伯利亞少婦軍團』這個名字如何？
我不是說過不需要組名了嗎！再說我們根本不是什麼少婦！
而且爲什麼是西伯利亞？
沒水準的窮家女！
有錢沒腦的大小姐！
嗯……這……

結果決定大家一起演出一齣戲。
現在開始決定演出的角色。首先有誰要演女主角？
我！
果然……
那能演美少年的就只有我啦！
這傢伙到底是用什麼標準來看事情的……無論如何也不能如他所願！
我只要演路人就行了！而且是在家裏睡覺的路人！
那阿呆想演什麼角色？
保護兩位主角的鼻水藝人！
別胡鬧了好不好…
爲了公平起見，我們來抽籤決定！這些紙片上寫有每個角色的名稱，抽到的人就演所抽到的角色！
把手放開！
小新！
太好了！我演美少年！
我…我演女主角。
嗯！
美少年
流氓A……
我演流氓B……
我演餐廳的侍應！
我演警察！

大約的故事是這樣……美少年在兩個流氓的手中救出女主角，之後發展到了結婚……
人家不會演流氓啦！
我也不會演女人！
我們先試著即興演出好了！
練習開始！
喂！靚女！給我站住！
咦？
陪我們一起玩如何？
不要這樣嘛！
那有什麼關係嘛！走嘛！
我迷上了你的飯糰臉啦！
兩個都演得很好呀……
歡迎光臨！請問幾位？
還早咧！現在是在馬路上！不是餐廳！
好啦！跟我來就對啦！
嘿嘿嘿
抓住
不要！討厭！把人家放開啦～～
正男也完全沉醉其中了……
接下來換我出場了！
步出
給我站住！
咦？
救命呀！警察叔叔！
哼！警察！
殺了他！
噠噠
砰——
砰——
砰——
喂！這是愛情故事呀！別搞錯啦……
好可怕……
歡迎光臨！請問要點些什麼？
砰
砰
我不是說過現在還沒有演到在餐廳裏的劇情嗎！

砰——
嗚！
倒下
女主角怎麼死啦？喂…
其實我是裝扮成侍應的動感超人！哇哈哈哈！
可惡~~~
其實我們的真面目是偶像歌手！
我從警察調職去當鼻水表演藝人了！
然後女主角復活變成喪屍~~~
停——！
喂！這是在婚禮上表演的啊！認真點好不好呀！
我們從頭來！
啊！給它忘記去了！
還是唱歌比較好！
唱結婚進行曲嗎？
看來大家都在想要表演什麼。
小孩子們演出的一定很可愛！
哦！在那邊的不是風間同學他們嗎？讓我看看他們打算表演什麼可愛的東西。
老公！你太過分了！你在外面竟然還有其他的女人！
不要管那麼多！拿酒來！
喂！先生！趕快把你欠我們的三百圓還過來！
妮妮！人家肚子裏已經有你的孩子了！
很好！很好！這樣比較接近現實社會！哈哈哈！
妻
夫
收數
愛人
導演
自暴自棄
老公，你怎麼了…
嗯——嗯——

石坂先生和吉永老師的溫馨婚禮篇

婚前恐懼症

就在吉永老師和石坂先生進行婚禮前的某一天——
我再過不久就要結婚了……
我現在應該非常愉快才是，可是不知爲什麼就是高興不起來……
我眞的能和石坂先生平安無事地共度一生嗎？
或是說，我應該再去找找看有沒有更合適的對象……
這個理想的對象就是本世紀最後的美少年野原新之助！
你在做什麼呀？
劇本
那妳呢？都快要結婚了，爲什麼滿臉都是難看的表情？
應該說是『憂鬱的表情』吧？

小新！結婚前的女性的心情是非常不安定的！你應該說點能讓人安心的話，來安慰老師才對呀！
哦！哦！
妮妮……
吉永老師！石坂先生人眞的很好，不會有問題的！
小新……
雖然他有點膽小……
說的也是……
他的確是有這個毛病。
而且他人太好，很容易就會被騙買假藥。
也是有這個可能！
情緒不安
你們的婚姻生活眞的能順利嗎？
還是算了……
極度不安
笨蛋小新！
啊啊……我突然覺得有點不舒服……
搖晃
難得我幫她加油打氣的說……
你這根本就是火上加油！
職員室
喀嚓喀嚓
請問……
驚嚇
哇－
冒出
不要給我從這種地方走出來好不好！
人嚇人會嚇死人的！
對……對不起……
平常的出場方式會讓我覺得不好意思……
這樣不是反而更不好意思嗎？

包給吉永老師的結婚禮金應該包多少才不會失禮？
…
嗯——大概2萬圓左右吧……
2萬圓是嗎……
說實在的，我現在還有一堆的貸款等著要繳，實在拿不出太多！
喀啦
不好意思哦！我眞不該選在這種時候結婚！
我可不是爲了要收人情才結婚的！不包也沒關係呀！
站起
妳說這是什麼話！
啊…
我不要妳的人情，拿那些錢去買妳那莫名其妙的衣服吧！
生氣
啊！
糟了！
驚慌
我不會和她打架的！放開我吧！
啊！是…
我的比較大……
嘻
雖然會讓生活更苦一些，不過我還是會很誠心地祝福妳的！
哼，假好心！
妳心裏面難道不是在怨恨我比妳還要早結婚？因爲妳的男朋友已經跑到南美洲去了！
啊
啪

氣氛變得好僵……要調和一下才行！
靜
郝伯伯的眉毛好粗！
靜
噠
啊
喀啦
啊！吉永老師！馬上就要結婚囉！
滾開！怪物臉！
太……太過分了……
我的笑話眞的不好笑嗎？
我到底是在做什麼？自己一個人急成這樣……
笨蛋！我眞是個笨蛋！
我眞是個超級大笨蛋！
劇本
給我住口！
吉永老師的內心眞是愈來愈不安。
我打電話給石坂看看好了……
日光

是石坂嗎……？
鈴鈴鈴鈴鈴
喂！你好！
我不是石坂哦！
怎麼會是他……
妳一定在想「怎麼會是他」吧？
心虛
怎麼會呢……你在為我擔心嗎？多謝你！
既然妳這麼高興，那我們就聊個通宵吧！
天呀！
啊！對不起，剛好有其他電話打進來，我要收線了！
我家的電話有插撥！
老師不能說謊哦！妳的電話根本沒有這種機能呀！
唔……
總之我現在很忙！我要收線了！再見！
喀嚓
這次應該是石坂吧……
鈴鈴鈴鈴
啊！小綠嗎？
媽媽什麼事？

妳爸爸說想要在妳的結婚典禮上跳兜襠布舞，可以撥出時段來嗎？
妳是說那個我們吉永家家傳的只穿著兜襠布，頭上帶著新娘頭絹跳舞的那種笨蛋儀式嗎？
別胡鬧了！不要開玩笑好不好！太丟臉啦！
一、二、三
可是妳爸爸很認眞呀……
總之不行就對啦！
喀嚓
眞是的！眞要跳那種舞的話，乾脆不要結婚算了～～～
鈴鈴鈴鈴
喂喂……
恐懼戒備
石坂先生有打電話給妳嗎？
喀嚓
鈴鈴鈴鈴
煩死了！你這個大混蛋！我爲了婚禮的事在煩心，你還打電話來煩我！不要再給我打來了！
喀嚓

小綠好恐怖哦！還是不要結婚算了……
嘟嘟
婚禮當天
嘩啦
動感幼稚園
吉永老師說要在我們幼稚園辦婚禮，我本來打算在庭院辦個任食任喝的自助喜宴……
嘩啦
可是天氣卻一點也不配合……
因此他們只好更改了原本的計劃，改在幼稚園的大廳內舉辦……
石坂先生，會場太小了，沒辦法讓所有的人進場，怎麼辦才好？
這個嘛……
……
吞吞吐吐
小綠，妳有幫我安排一段跳舞的時間嗎？
我還特地買了新的兜襠布來呢！
滾回去吧！
還沒有開始嗎？
怨聲載道
大概是沒弄好流程吧？
打算讓大家就這樣一直站著嗎？
老公……
不知所措
看來我真的是選錯老公了……
沮喪
石坂，你有沒有種呀！
啊
振奮精神
嗯！
小綠，跟我來！
咦？你要做什麼……
抓緊

怎麼了？為什麼突然衝到外面去？
嘩啦
吵吵
嚷嚷
水花四濺
各位來賓，很不巧的今天天氣不佳，以致造成整個婚禮的流程都亂調了！
嘩啦
因此而造成各位的不便，我們夫妻兩人感到非常的抱歉。
不過，無論今天因為天氣而打亂了所有的儀式，我們還是會突破這個困境繼續我們的婚禮！日後不管發生了什麼問題，我們倆都會盡力去解決！
BUCHU
太好了！石坂先生真是個男子漢！
YEAH
歡聲雷動
掌聲鼓勵
恭喜妳，真是太好了！
真是對不起，前幾天真不該對妳說那種話～～
太好了，兩人又和好了！
真是個男子漢，我喜歡！我要把家傳的兜襠舞傳給他！
老伴，別說笑啦！
嗯嗯，真是個令人感動的婚禮！
介紹人可不能這樣哦！
選擇他果然是對的！
之後，婚禮就在一個熱鬧的氣氛中繼續舉行。

小新童話故事！

我的字典中沒有「不可能」編

小新童話故事！我的字典中沒有「不可能」 其一

魔法小頑童小新
哦！有了！有了！
拉動 拉動
呿！又是麻雀！
啾 啾
唉！最近都釣不到老鷹或是鷲之類的大鳥。
全都是人類破壞自然的關係。
把牠放回去吧！
啾 啾
爸爸！
嗯？什麼事？
我想去人界！
然後……去找優香大姐姐！
優香寫眞
什麼？
你說要讓小新出去修練？
絕對不行！對他來說現在還太早了！
可是魔法界的法則規定5歲就可以外出修練，而且他本人也有這個意願。
這孩子到現在連把屁股擦乾淨都辦不到，要是讓他到人界去的話，會爲他人帶來困擾的！
嘿嘿！
你還有臉笑！

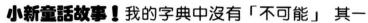

我不會惹麻煩的，讓我去啦！
少囉嗦！快答應吧！
哼！竟然給我擺起架子來了！
你應該求我才對吧！
隔籬的莎莉也已經去過了！還有愛子也去過了！麻子也去了！我也是一直很努力在做呀！
小新…
算了，算我輸了，你去吧！
哇——
太……太好了！
不過你如果利用魔法去做壞事的話，媽媽會處罰你的。
嗯……是！
另外，你必須遵守魔法界的戒律，這個戒律是…
就這樣，小新開始了前往人界的旅途。
路上小心哦！
我不會帶手信回來的！
不要再說啦！
飄起
波浪的彼端
飄來晶瑩的流冰
令人心情舒爽
夫妻兩人
在海邊吹著海風
閉上眼睛
眼前依然會浮現
她的側臉
啊啊！今晚的牡蠣鍋
牡蠣怎麼這麼少~~~~~~
暴風雪雪江的南國戀曲
下雪的夜裏
冰柱的光芒
不斷地閃爍
夫妻兩人…
第二段
是誰呀？播這麼沒品味的歌……
從天而降撞個正著
你怎麼突然跑來撞我…
這話應該是我來說的！

我現在要去上補習班，卻傷成這樣根本不能去！快想辦法幫我醫好！
這太簡單了，因爲我是個魔法師呀！
魔法師？開玩笑也該有個程度呀……
假波波呀假波波，硬梆梆呀硬梆梆，大象拔呀大象拔，摇呀摇呀摇！
砰
你這樣做其實是讓我傷得更重呀！
太好了，我這次包繃帶包的很漂亮。
糟了，補習班上課的時間快到了！
看我的吧！
補習班４點開始上課
假波波呀假波波，硬梆梆呀硬梆梆，大象拔呀大象拔，摇呀摇呀摇！
這算是什麼咒文呀……
砰
啊！時間又回到30分鐘前！
呼！這樣我就放心了。
沒想到眞的會有魔法師，你好厲害哦！隨便唸個咒文就馬上能讓我的手錶倒回去三十分鐘前……
啊——只有我的手錶時間倒回去，根本沒有意義！
你還眞煩哪！
不悦
給我記住！
要我記住你的生日嗎？
我可不是從小被嚇大的！

蒙哥公寓
風間
結果還是沒趕及上課時間，今天因爲那小子的關係，都沒碰上好事。
風間
喀嚓
我絕對不想再碰上那小子！
我回來了！
啊！你返來啦！還眞早啊。
唉呀！阿徹，你回來啦。
媽媽，這傢伙怎麼會在我們家？
我聽說這位新之助弟弟今天幫了你很多忙，又幫你療傷，又幫你上補習班不用遲到。
可是，這全都是這傢伙……
風間，不要再說了，這都是我應該做的，你不用再說多謝了！
貼上
唔唔……
眞是個有禮貌的孩子。
這樣好了，你今天就在我家住一晚好了，如何？
好啊！反正我也不忙！
我是高倉健！
不會吧～
當天晚上
哼！
多謝你今天能讓我在你的房間睡一晚。
對了，關於我是個魔法師的事，請你不要告訴任何人。
爲什麼？
這是魔法界的規定。
我知道就無所謂嗎？
一個人的話就OK的。

那如果其他的人知道了的話呢？
那樣的話，我就一定要回到魔法界去。
另外，凡是知道我的事情的人，也會將有關我的記憶全部消除。
哦！每個人都各有自己的難處。
所以，這是我們兩人之間的秘密哦——
走開！你再這樣我就去告訴別人！
之後，兩人過了一段快樂的日子。
有一天
啊！靚女！
假波波呀假波波，硬梆梆呀硬梆梆，大象拔呀大象拔，搖呀搖呀搖！
裙子飛起來——
鏘
500kg
媽媽，對不起。
風間，你回來了。
哦
喔！
抱歉，今天我要和補習班的女孩子約會，不陪你玩了。
咦？不是說好要和我一起踢足球嗎~~
煩死了！我和你這種間來沒事做的魔法師不一樣，人類每天都很忙的！
震驚——
我走啦！

我會不會說得太過分呢？
叭—
叭—
呀
危險！
假波波呀假波波，硬梆梆呀硬梆梆，大象拔呀大象拔，握呀握呀握！
砰
嘰叩嘰叩
嘰叩
打瞌睡
嗯？
魔法師？
那小孩是魔法師！
議論紛紛
小新！
我要走了。
風間，再見了。
飄起
街談巷議
多謝你讓我當你的朋友。
小新，不要走！我不要你走！我馬上把約會取消！
不要看太多書哦！
不要！我不想我倆之間的回憶全部消失——
小新——！！
凡是知道小新的事的人，他們的記憶都被消除了。
風間也再次回到原本平凡的生活……
波浪的彼端飄來晶瑩~~
咦？我爲什麼聽到這首歌就會流淚……
風間同學竟然喜歡這樣的歌？品味好差哦！拜拜！
令人心情舒爽夫妻兩人
我覺得好感動，這到底是爲什麼？
從天而降
直撞
我們再重新來一次吧！
規則
只要再回到魔法界一次，將一切從頭再來一次就行了！

小新童話故事！

我的字典中沒有「不可能」 其二

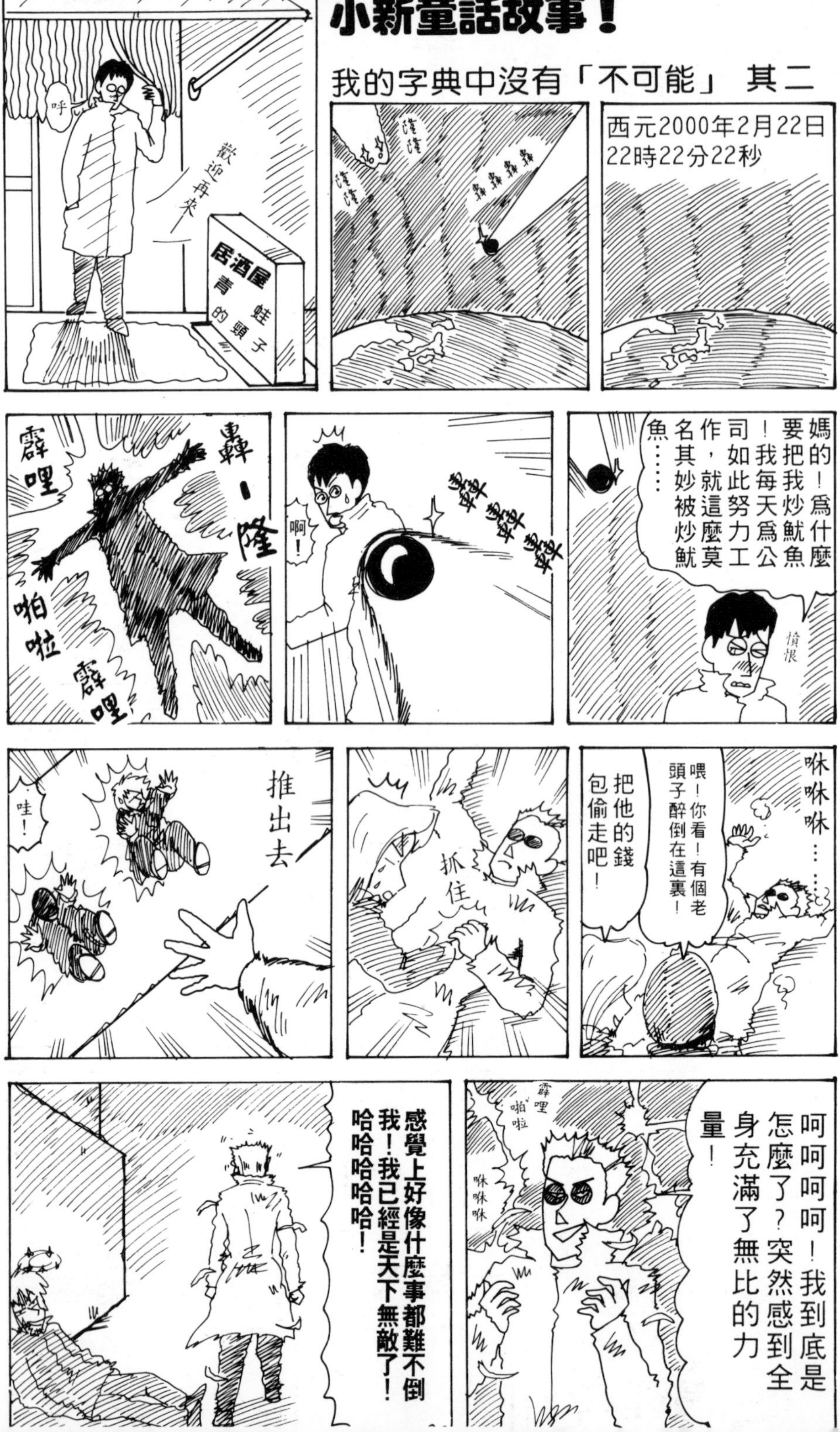
西元2000年2月22日
22時22分22秒
隆隆
轟轟轟轟
隆隆
呼
歡迎再來
居酒屋
青蛙的頭子
媽的！為什麼要把我炒魷魚！我每天為公司如此努力工作，就這麼莫名其妙被炒魷魚……
憤恨
轟轟轟
啊！
轟隆
霹哩
啪啦
霹哩
咻咻咻……
喂！你看！有個老頭子醉倒在這裏！
把他的錢包偷走吧！
抓住
推出去
哇！
呵呵呵呵！我到底是怎麼了？突然感到全身充滿了無比的力量！
霹哩
啪啦
咻咻咻
感覺上好像什麼事都難不倒我！我已經是天下無敵了！
哈哈哈哈哈！

新之助★向日葵
超能力兄妹

你們兩個沒事吧⋯⋯
噠？
嗯？
醒來
別嚇我了行不行呀！都已經十點多了，也該睡啦。
哦～
呆然——
小新！自己去把棉被舖好。
咦——？太麻煩了啦。
唉～如果我只要想一想，棉被就會自己動的話該有多好。
驚嚇
啪
衝出
靜悄悄——
不會吧⋯⋯
過來！屎底褲！
飄起
哇嗚——！
不行！要睡覺了。
噠噠！噠噠！
瀧武寫眞集
媽媽也和妳一起睡哦。
噠～
蠢動
撞個正著

媽媽！媽媽！我能讓東西在空中飛呀！
是呀，我知道。
你竟敢拿書來丟我！
喝呀呀呀！旋轉木馬式鑽孔頭部攻擊！
邊轉邊鑽
邊轉邊鑽
哇啊啊～我沒做錯事呀！
翌晨
昨天深夜，位於東京都丸之內的一流企業工商大樓一棟接著一棟遭到破壞。
晨早新聞
警方認為這應該是恐怖組織所為，正朝著此一方向繼續調查。
哇～
好可怕，我不敢去上班了～～
沒事的。
他們的目標只有一流企業。
你這話是什麼意思？
啊——！文把我的玩具拿去……！
哼！
啊
嗯嗯！
喔？
哇噗！
飛出

這…這是怎麼回事……？
哦哦～～原來小葵也會這一招……
好！我也會！哼！
飛起
衝去
嗯嗯！
他們到底是怎麼了……
靜止……
嗯～
噠
呵呵呵。一大早就這麼熱鬧呀。
喝——！
噠——！
飛撲
你這是做什麼？
啪
好痛——！那不是我丟的呀！
沒錯！
就是這裏！
那你告訴我你的鹹魚乾爲什麼會飛起來？
是他們不用手就讓襪子飛起來的。
別開玩笑了，哪有人可以不用手就能讓東西飛……
飛起
飛起
飛起
眞的喎……
嗯
教授！好像就是那兩個孩子！
嗯！終於找到了。
你們是誰？怎麼隨便跑到人家家裏…

請妳先讓那兩個孩子靜下來再說吧！
說的也是。
飛來
飛去
擋住
二人的個性都很單純。
很單純……
單純又阻到你們啦？
泳裝靚仔寫眞集
泳裝靚女寫眞集
請容我們做個自我介紹，我來自國際超能力調整委員會埼玉支部，敝姓深谷。
我是北春日部大學的超能力學學者，敝姓池袋。
名片
名片
我是『讓SPEED打消解散念頭委員會』春日部支部的野原新之助！
只是張紙條
我是雙葉商事營業二課的經理野原廣志。
名片
都什麼時候了還來這種客套！
SPEED的解散實在令人遺憾呀。
看來我和你很合得來哦。
是呀，這麼一來MAX要是不努力一點的話就完了。
仁繪不會有事吧？
你們到底講夠了沒呀！
那國際超能力什麼的……是什麼呀？
是將世界上所有超能力者的資料集中管理，並致力於讓超能力不被亂用的國際和平組織。
超能力……難道說我的孩子……
他們一定是超能力者沒錯！我能夠感覺得到，因爲我也是超能力者……
這麼說妳也會讓東西飛起來囉？
不，我的能力是讓東西彎曲……
什麼嘛！頂多是弄彎湯匙的技倆嘛！
嗯！
痛死我了！
我能弄彎的東西可不只是湯匙而已哦。
唔！

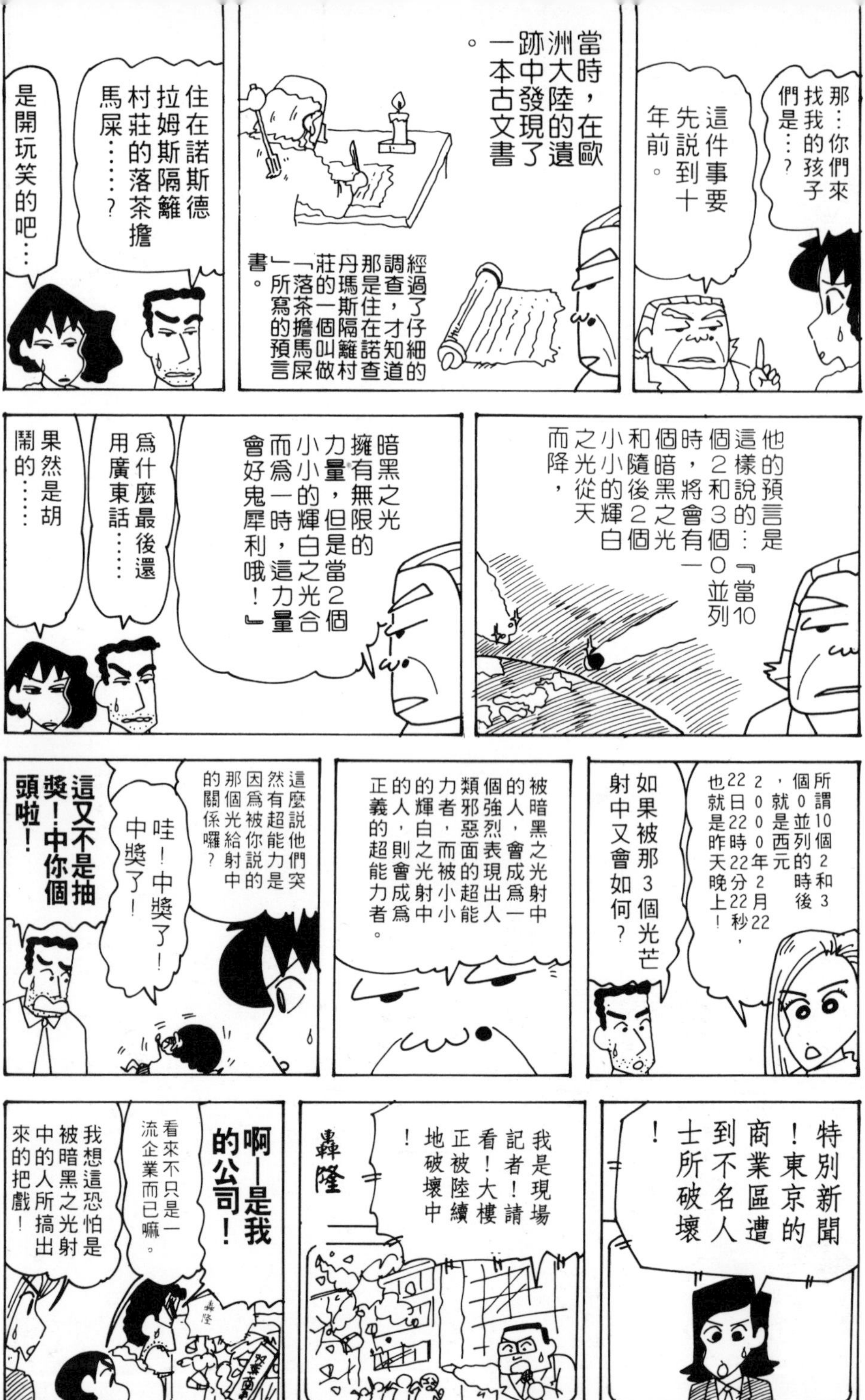

那…你們來找我的孩子們是…？
這件事要先說到十年前。
當時，在歐洲大陸的遺跡中發現了一本古文書。
經過了仔細調查，才知道那是住在諾丹瑪斯隔籬村莊的一個叫做「落茶擔馬屎」所寫的預言書。
住在諾斯德拉姆斯隔籬村莊的落茶擔馬屎……？
是開玩笑的吧……
他的預言是這樣說的：『當10個2和3個0並列時，將會有一個暗黑之光和隨後2個小小的輝白之光從天而降，
暗黑之光擁有無限的力量，但是當2個小小的輝白之光合而為一時，這力量會好鬼犀利哦！』
為什麼最後還用廣東話……
果然是胡鬧的……
所謂10個2和3個0並列的時候，就是西元2000年2月22日22時22分22秒，也就是昨天晚上！
如果被那3個光芒射中又會如何？
被暗黑之光射中的人，會成為一個強烈表現出人類邪惡面的超能力者，而被小小的輝白之光射中的人，則會成為正義的超能力者。
這麼說他們突然有超能力是因為被你說的那個光給射中的關係囉？
哇！中獎了！中獎了！
這又不是抽獎！中你個頭啦！
特別新聞！東京的商業區遭到不名人士所破壞！
我是現場記者！請看！大樓正被陸續地破壞中！
轟隆
啊—是我的公司！
看來不只是一流企業而已嘛。
我想這恐怕是被暗黑之光射中的人所搞出來的把戲！

※諾查丹瑪斯（NOSTRADAMUS，1503～1566）法國著名的醫師亦為占星師。其預言能力頗受當時的王室所器重。

能擊敗暗黑超能力者的只有被小小的輝白之光所射中的這兩個孩子！請你們和我一起去吧！
呵，看我的厲害！
啊！小葵又大便了。
帶他們兩人去眞的有用嗎？
應該吧……
轟隆—
哇—
呀—
哇哈哈哈哈！
本大爺要向所有看不起我的日本企業報復！我還要用我的力量支配全世界！
!!
那邊好像有和本大爺相同能力的人！
快用心靈感應叫他停止所有的破壞行爲！
我不知道妳在説什麼嗚。
只要把你心中想的事傳送過去就行啦！
哦—
唸唸有詞
嗯—
嗯！這影像簡直就是世紀美女泳裝發表大會嘛！眞是令人心動…，不過工作還是要先做才行！
性感
美艷
哼！看我的厲害！
哇啊啊—
肌肉排骨
天呀—
看來敵人並不是這麼好對付！
小新！你爲了拯救世界而戰鬥的英姿實在太令我感動了！

哼！要來找本大爺麻煩的就是你們吧？
咻
馬上給我停止所有的破壞行爲！
煩死啦！
飛起
撞上
哇啊！
重壓
喝！
哇啊啊！
不要欺負大姐姐！
飛衝
爸爸的臭臉飛衝攻擊！
哼！
媽呀——！不要摔我出去呀——！
啪喀
擺手
竟敢對我敬愛的爸爸做出這種事來！
眞的敬愛我的話就不要摔我出去！
小葵！找找看有沒有什麼東西可以用來解決他的！
噠！
媽呀—不要讓我的痣給飛走呀！
飛出
我來解決他就好！妳走開一邊！
噠噠噠噠噠！
現在不是吵架的時候啦！
喝！

撞上
哇！
呀！
擠壓
擠壓
啊—
啊呀呀呀—
我要把你們壓成肉餅！哈哈哈哈！
小葵！
嗟！
『當2個小小的輝白之光合而爲一時，這力量會好鬼犀利哦！』
嗯嗯！
轟隆
看我和小葵合體屁股的厲害！
噗哩
噗哩
哇啊！
轟轟轟轟轟
這正義的力量吹散了暗黑的力量，被破壞的街道也在這一瞬間完全恢復了原來的模樣。
我到底是怎麼了…？
他只是被暗黑力量所控制，大家也不用責備他了。
雖然不知道是怎麼回事，可是突然覺得精神爽利的。
這是因爲被正義的力量掃過的關係！
我再去找工作！重新來過！
加油吧！不要輸給經濟不景氣！
貼上
之後，小新和小葵又變回了普通的小孩。
兩個都給我住手！

突出的幼稚園大小姐

爲我帶來了無數的困擾篇

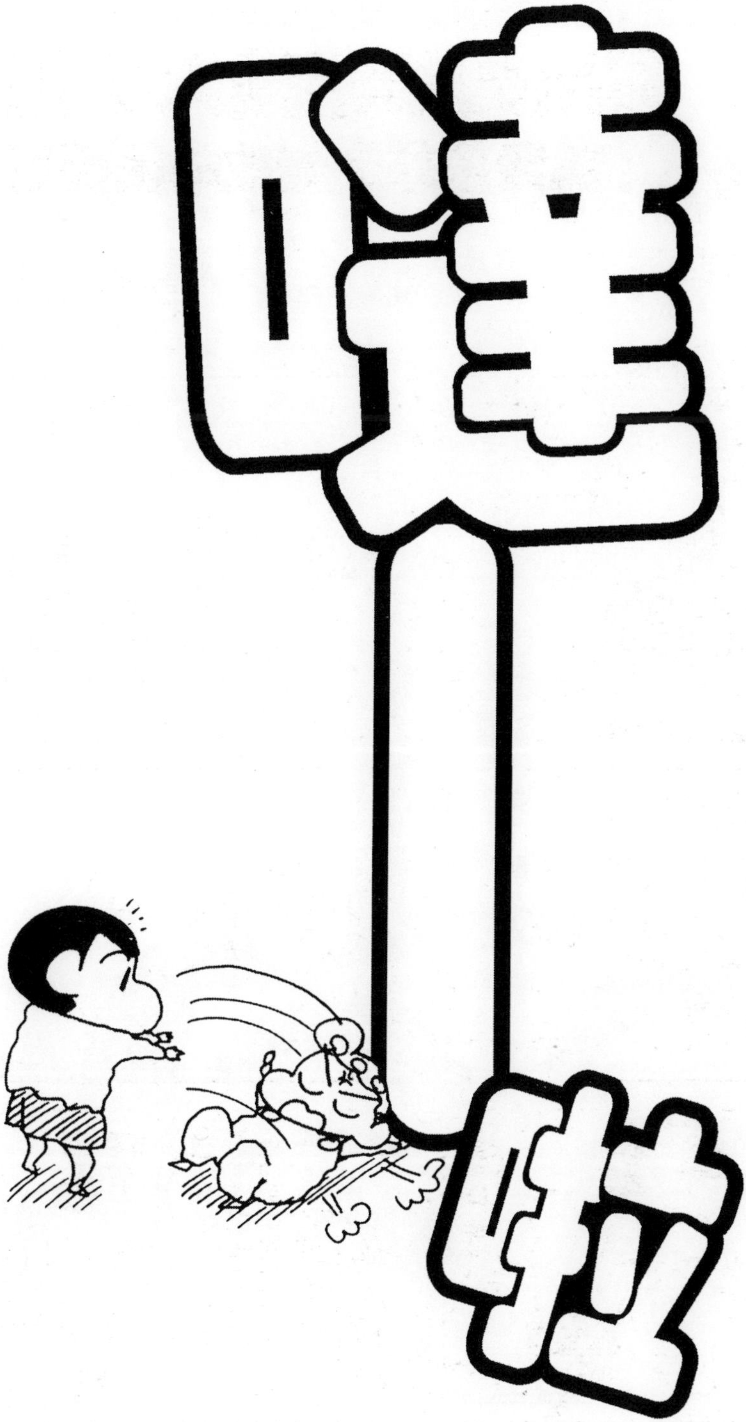
噠
啦

突出的幼稚園大小姐

爲我帶來了無數的困擾篇

點心時間

減肥!
香奈兒!
啪喀
煨蕃薯!
追呀!
站住!
奶…
……
咕嚕嚕嚕…
轉身
糖糖
!!
立即開動
心中想著「趁著媽媽睡著的時候好好享受一下」
嗯?現在幾點了?
爬起
震驚
伸手
藏起來
鼾ー

哎呀呀！小葵也眞是的，睡相眞差——
原來的位置
都已經3點了，趁小葵還在睡的時候來個午茶時間吧。
我記得在櫃子裏面還有一小塊的芋頭羊羹⋯⋯
喀啦
有了！
芋頭羊羹是我最喜歡吃的東西，可是每次都被小新吃掉了，這個我一定要好好享受一下！
靜靜雞
躡手躡腳
嘻嘻
我要吃囉——
我返來羅密歐是個大敗類～～～
晴天霹靂
肚子餓！肚子餓！肚子餓到不知該怎麼辦！肚子餓到行雷又打鼓！
鼾—
糖在這下面
媽媽！人家肚子餓了，有沒有東西吃？
鼾
芋頭羊羹在這下面

眞田十勇士也都是從屁股蹦出來的～～～
RRR—
眞的睡著了。
呼—好險！好險！
啊！發現一個雞蛋布甸！
雞蛋布甸
趁他們倆個都在睡覺，偷偷吃掉。
雪櫃
咿
滾滾滾
掉落
噠—
急急忙忙
不斷向前滾
啊——
吃下
撞上
嗯啊啊！
唔
嗯—
呃
不斷敲打
手足無措
小布甸啊～～你爲什麼那麼軟呢？
細川俊之的語氣
突然衝出
嗯啊——
哇——對不起——！
嚇一大跳
啊～～
爛成一堆
呼呼呼呼
差點就死掉了……
都是灰塵
當天晚上，爸爸買了奶油巴芙回來。
這家店的奶油巴芙很好吃哦！大家一起吃吧！
哦哦
是呀！自己一個人偷偷吃還是不好……

突出的幼稚園大小姐
爲我帶來了無數的困擾篇

經痛君

媽媽！我肚子好餓，午飯還沒好嗎？
哎呀，已經那麼晏啦……？
小新，對不起，媽媽因爲經痛的關係肚子很痛，麻煩你去買便當回來好不好？
什麼是經痛？
所謂的經痛就是女人定期會來的痛楚。
什麼是定期？
即是一個月一定會來一次……
這個叫經痛的，還眞是個討人厭的傢伙呀。
……是呀……哈哈……
這麼説經痛君現在來了嗎？
是呀，一千圓拿去，買兩個便當回來。
我想看看經痛君長什麼樣子！
……………看不到的啦。
爲什麼？
因爲經痛君現在在媽媽的肚子裏面呀！

喂！經痛君！不要留在這麼悶熱的地方！快點出來呀！
給我住手！
根本一點也不悶熱！
經痛君是不會讓男孩子看到他的！
不要管那麼多了，快去買便當！我要海苔便當！
過分！只讓女孩子看！
唸唸有詞
呼——叫他去買個便當也得這麼辛苦……
經痛君要不要吃便當呀？
他不用吃！
哎呀！小新，出門呀？
我要去買便當。
媽媽身體不舒服嗎？
嗯——……不知道喎……
她說是經痛君來了，所以肚子痛。
原來如此…
他該不會像這樣到處去宣揚吧？
經痛君也會去找妳嗎？
那我先走了。
我也該回去準備午飯了。
急忙離去
溫馨便當
親親愛愛堂
唉~~~已經開業一個星期了，因爲這裏離商店街遠，又沒什麼人經過，幾乎沒有客人，實在是太失敗了……
老公，好好加油吧！你好不容易才決定要脫離上班族的生活呀。
冒出
歡迎光臨！

請問——這附近有沒有便當店呀？
嗯——我記得在車站附近有個不錯的便當店……
老公！你在說什麼呀，我們就是做便當的呀。
哦——這個地方什麼時候多了這樣一個便當店呀？
，多多指教啊，小弟弟。
便當是大叔你做的嗎？
是我老婆做的。
還好。
你這話是什麼意思？
為什麼還大大的鬆一口氣呀？
好了，你要什麼便當？
媽媽說經痛君來找她，所以她要吃海苔便當。
啊？
我要車站便當。
……這裏沒有車站便當。
為什麼？
這裏又不是車站。
你們的便當種類還真少啊。
喂！你要選的話，有很多種樣式的便當讓你選呀！
MENU
嗯——怎麼每個都是只有飯和小菜同一樣式……
有哪個便當不是這樣呀！
有大力推薦的嗎？
我最喜歡的就是這個雞扒便當！我老婆做的雞扒便當是最好吃的！
老公你也真是的—
我說的是實話呀，妳作的雞扒真的很好吃嘛。
討厭啦
咳咳咳！還真不愧是親親愛愛堂呀！
哈哈哈…

所以我推薦你選擇雞扒便當。
哦哦！！
那我選豬扒便當。
這小鬼故意找麻煩！
啊！等一下，我要好好考慮一下這個足以影響我一生的問題。
哪有這麼嚴重呀。
得先集中精神才行。
集中精神爲什麼要脫褲子呢？
脫
十一分鐘後
好，決定了！我也要海苔便當。
海苔便當再一個。
歡迎再度光臨～～
這應該是我說的吧～～
呼——受不了……好不容易有個客人，來的卻又是個怪小孩，看來眞的是完蛋啦。
老公……
歡迎光臨！
我是最近搬來這附近的動感工廠的負責人，麻煩你從明天開始每天幫我們準備一百人份的便當。
咦？
我剛剛問了路過的一個蠶豆頭小弟弟，他就向我介紹這裏，還說『要吃便當的話，這間的最好』。
是他！太多謝你了！小弟弟！
老公，眞是太好了！
經痛君要不要看電視呀？
你說夠了沒呀！

突出的幼稚園大小姐 為我帶來了無數的困擾篇

好印象

動感幼稚園
我還是覺得阿武比較有型，不過阿瀧也是型得不得了。
我轉我轉
哦
よ
你在做什麼？
我在玩沒有碟子的轉碟子。
我轉我轉
嘿
哦
哦
小新這傢伙果然不太對勁…
我絕對不會和這種人結婚！
他一定無法建立一個正常的家庭。
冒出
驚嚇
哇——
沒有碟子的轉碟子！眞是最佳的消閒的方式！好酷哦！我愈來愈對他著迷了！
等等我！小新！
那大小姐也是不太對勁。
一樣米養百樣人。
那個保鑣也一樣不對勁。

小新！
小愛！
小新，這星期日你有空的話，和我出去約會好嗎？
震驚——
我討厭照顧小孩子！不要！
拜拜
乾脆
啊…眞是不知好歹呀…
被這樣冷漠地拒絕，小愛也未免太可憐了。
這拒絕的方式實在是又有型又乾脆，我完全迷上他了！
我絕對不會放棄的！小新！
我也不會放棄的。小愛。
放學時
老師再見。
再見。
啪
嚕嚕
眞好，還有外國車接送。
而我只有國產的腳踏車…
黑磯！去追幼稚園的褓姆車。
可是小姐，妳等一下還要去上小提琴課程。
我要請假一次。
小姐，這樣是不行的。

黑磯，前天你在家裏的庭院打高爾夫球，還打破了我爸爸最心愛的盆栽對不對啊？
妳…妳看到了嗎？
緊張
請妳幫我保守秘密，千萬不要讓老爺知道…
那就去追褓姆車。
嘰嘰嘰
動感幼稚園
老師再見！
喂！
好啦！再見！
嗯！
噗
今天的上課情形如何呀？
真是無聊的一天呀。
慢慢接近
那就是小新的媽媽吧！
好！我先去讓小新的媽媽對我有個好印象！這麼一來，將來小新的新娘的位子我就坐定了～
我現在要去小新家裏，你在這裏等我出來！
可是小姐…
盆栽！
請路上小心。
叮咚—
來了！請問是哪位？
您好，我的名字是酢乙女愛，現在正和小新親密地交往之中。
哦…Hー，妳好…

小新，你的朋友來…
啊，不用叫他了。
我今天是特地來和媽媽您聊天的。
媽媽…？
不要一直站在這裏，我們到裏面去聊吧。
哦，是，打擾了。
咦？
媽媽您平時的興趣是什麼呢？
妳是說我的興趣嗎…？
嗯～～搶購平價貨……啊，不，是逛街買東西。
哦！
我也經常到銀座去逛街買東西呢。
銀…銀座？我頂多到大宮…哈哈哈…
小愛，妳到我家來做什麼？
小新，我和媽媽非常地情投意合呢。
對不對呀？媽媽。
是呀——
現在這個社會，經常發生很多的婆媳問題，不過這樣的問題在我和媽媽之間，可是一點也不會有問題。
說得好！沒錯——!!
跟著說
婆…婆媳問題…？
今天能和媽媽聊得這麼高興眞是太好了，下次有機會我還會再來看您的！我先走一步了！
啊，要回去啦？
她是來做什麼的呀…？
我成功的擄獲媽媽的心了！
沒去上小提琴課…我會被太太罵的…
啊——好累，以後請你不要再帶她來了。
是她自己來的，和我無關。

突出的幼稚園大小姐
爲我帶來了無數的困擾篇

處罰

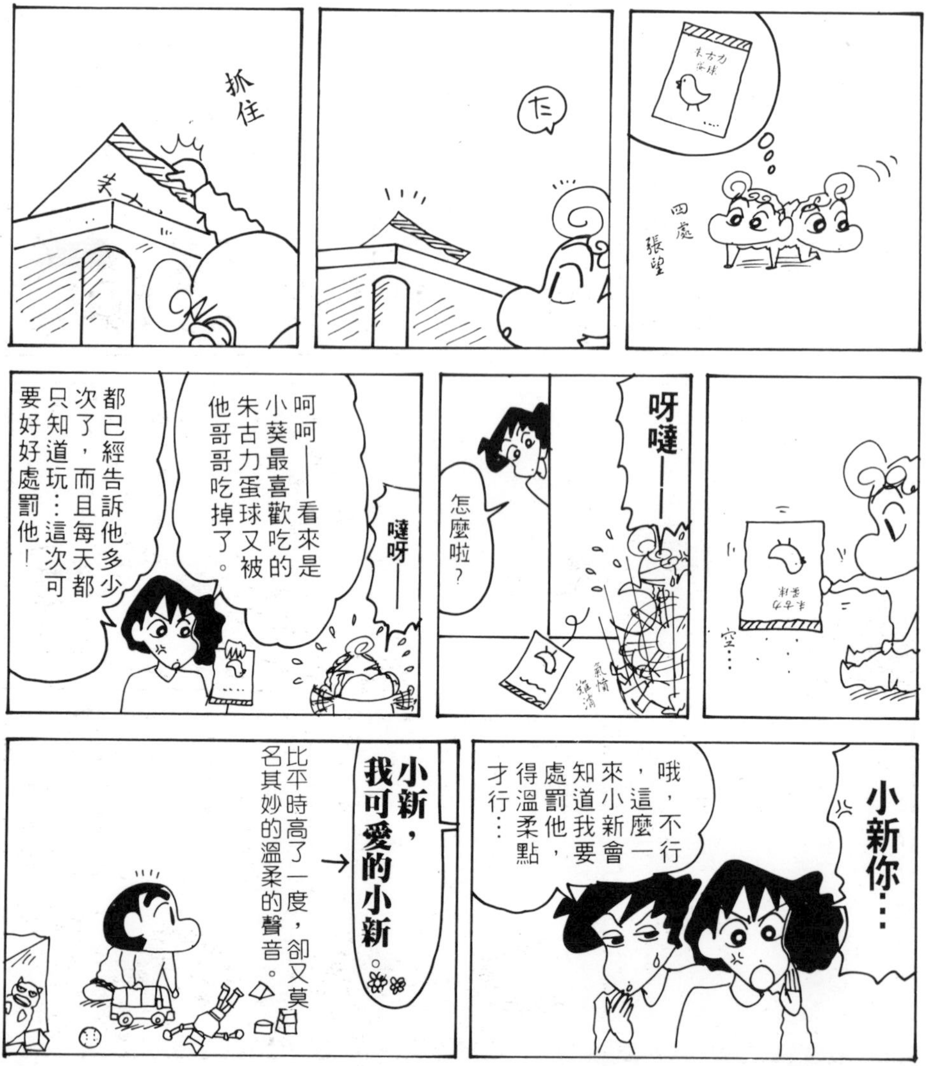

朱古力蛋球
四處張望
た
抓住
空…
呀噠——
怎麼啦？
氣憤難消
噠呀——
呵呵——看來是小葵最喜歡吃的朱古力蛋球又被他哥哥吃掉了。
都已經告訴他多少次了，而且每天都只知道玩…這次可要好好處罰他！
小新你…
哦，不行，這麼一來小新會知道我要處罰他，得溫柔點才行…
小新，我可愛的小新。
比平時高了一度，卻又莫名其妙的溫柔的聲音。

小新，過來一下。
這才是眞正生氣的聲音。
看來她是要處罰我。
我可愛的小新。
先走再說。
沒來…被他知道了嗎？
這麼說他現在應該正在玄關的地方穿鞋子。
嗚嗚
想偷走？別作夢！我先從院子繞過去！
衝出
咚咚咚
這沉重的腳步聲一定是媽媽的！
喀嚓
嗯！竟然給我上鎖了！
喀嚓喀嚓
喂！快打開！
不要！
不開的話我要處罰你哦！
就算打開妳也一樣會處罰我。
哦，你知道我要處罰你呀。
那你知道媽媽爲什麼生氣嗎？
我趁妳不注意的時候喝了妳的蘋果汽水，爲了不被妳發現，還在裏面加了水。
啊！你是說那個蘋果汽水呀！我正在想怎麼味道這麼淡，而且一點汽也沒有，原來是你搞的花樣！
蘋果汽水
我饒不了你！給我等著不要走！我從院子的窗戶到裏面去！
…

咚咚咚咚
嘻!
喀嚓
捉到囉!
抓住
震驚
好了,到裏面去,我要連續打你十下屁股。
不乖!
啪啪
啪啪
啪啪
痛~~~這小子的屁股什麼時候變這麼硬了?
嘻!
什麼?平底鑊!
脫下
一陣風
可惡!饒你不得!就算你跑到天涯海角我也要捉到你!
猛追
呵呵,沒路了吧。
嗯……
看我的!
拉開

一瀉而下
哇——
可惡~~~平時該整理一下的。
嘿!找到好東西了!
走到外面去。
我網
把褲子給我脫下來!
不過妳爲什麼要處罰我呢?
因爲你吃了小葵的朱古力蛋球!
那是爸爸早上去公司前吃掉的!
眞令人懷念哪!
那是小葵的,會被媽媽罵的!
沒關係啦!
原來如此!對不起。
錯怪你了…
哼——
理直氣壯
啊
突然想到
還有蘋果汽水的事呀!給我站住!小新!
津津有味
新的朱古力蛋球

突出的幼稚園大小姐
爲我帶來了無數的困擾篇

太入戲

嗯～～～鋼打姆好有型哦！
鋼打姆機械人
寫眞集
妖艷
小新——過來一下！
眞是麻煩啊！
不趕快過來的話，我就把你的屎底褲拿去給娜娜子姐姐看哦！
嗯……
我來了！有什麼事嗎？
媽媽要出去買東西，你在家看著小葵。
是！
我雖然說是『看著』，不過你可不能只是看著而已，不能讓她哭，也要幫她換尿布。
是！
懂了沒？你會好好做吧？
是！
你是因爲怕麻煩，所以什麼都回答是吧？
是！
給我認眞一點！
火冒三丈
嗯嗯……

哼！小新每次都是這樣！只會說不會做！
啪
プンプン
哼！看到老媽滿身的肥肉就感到核突！
很好！繼續睡！最好一直睡都不要醒。
沉睡
我到2樓去看我的鋼打姆寫眞集。
噗
哇—
慢慢爬起
嗯
哇啊—
哇
打開
ピ
王子！你在哪裏？我的賓．傑克森王子！
克拉瑪．蕾咪公主！
哦哦！賓．傑克森王子！

賓・傑克森！
克拉瑪・蕾咪！
呀比—
擁抱
小葵公主！
噠♡
沉醉
!!
慢慢靠近
噠
坐上
汪嗚！
噠—！噠—！
搖頭擺腦
噠—
噠！噠—！
說不出的痛苦
舉步難行
小葵應該還在睡吧？
嗯嗯，很好，還在睡。
呀♡

HI！讓你久等了。
你遲了10分鐘。
慢慢靠近
抱緊
呀！
這小鬼做什麼呀！
是你瞞著我生的小孩吧？
開玩笑，我的小孩是男的…啊！說錯話了！
哼，原來你有小孩了，既然結婚了還要和我交往？
你竟敢欺騙我！
奮力一擊
本來都已經很順利了……
好差啊—
噠！
就連BB女也不理我了。
噠
議論紛紛
七嘴八舌
八百長
魚店
聽說那邊有個BB女騎在狗身上閒逛。
啊！太危險了吧！她的父母都在做什麼呀，最近的年輕父母實在是太糟糕了…！
噠
汪—
筋疲力盡
小葵公主的首次王子探尋記就這麼結束了。

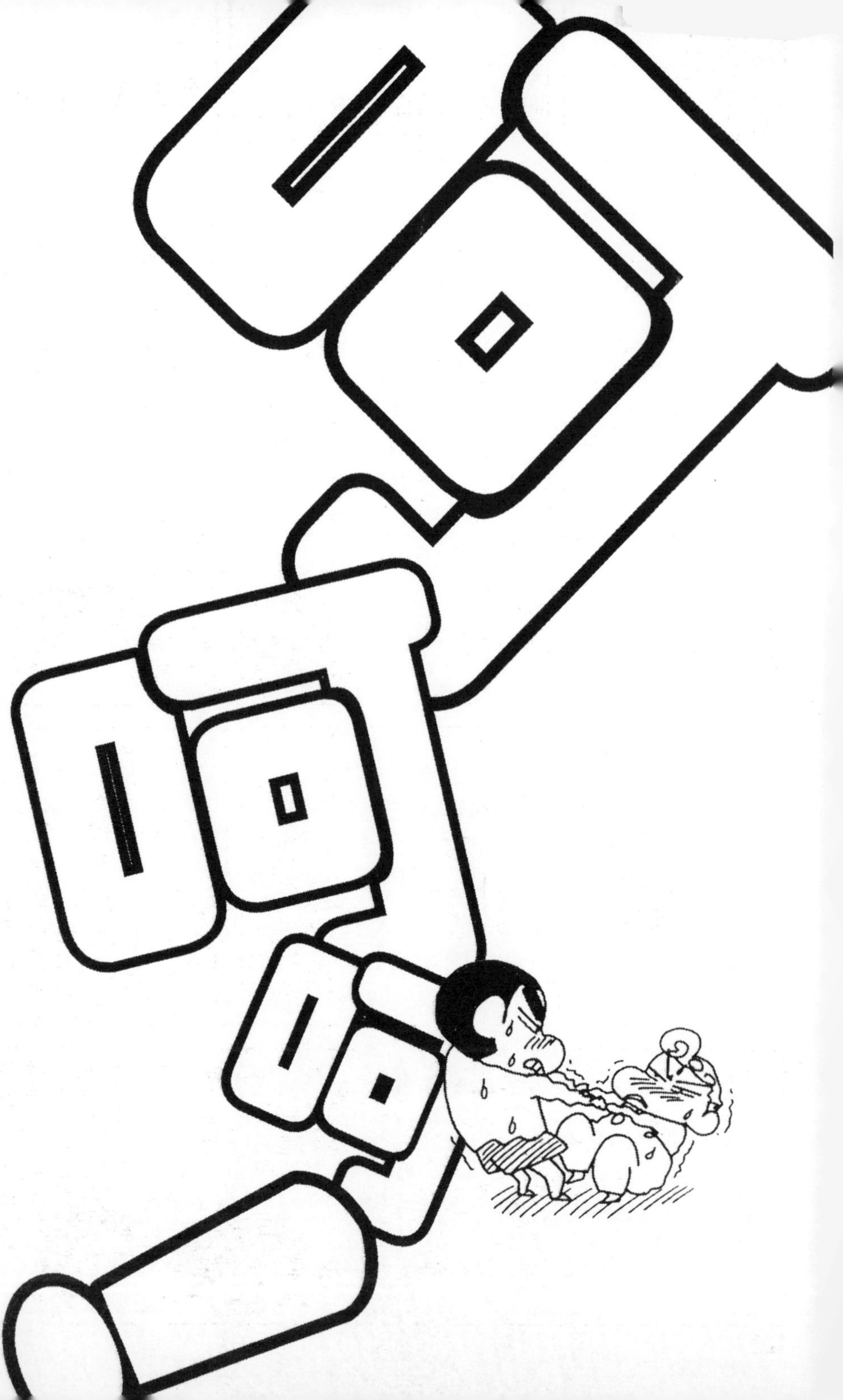

2000 年 12 月 20 日　第 1 刷
双葉社授權香港中文版

蠟筆小新

原名：クレヨンしんちゃん

第 26 集　作者：臼井儀人　譯者：鳥山乱

First published in Japan in 2000 by
FUTABASHA PUBLISHERS LTD., Tokyo.
Chinese version published by
TONG LI PUBLISHING GROUP LTD
under licence from FUTABASHA PUBLISHERS LTD.
出版：東立出版集團有限公司
地址：香港北角渣華道321號柯達大廈第二期1901室
TEL：2386 2312　FAX：2361 8806
書報攤經銷：吳興記書報社　TEL：2759 3808
漫畫店經銷：一代匯集　TEL：2782 0526
承印：美雅印刷製本有限公司　TEL：2342 0109
本書如有缺頁、倒裝、破損之處，請寄回更換

定價：HK$30